台灣歷史故事

王詩琅◎著　李欽賢◎圖

The Characters in Taiwan History

目錄
......
6

尋根

張良澤

有一位台灣來的留學生姓戴,來日本已十多年了,目前就讀於共立女子大學,師事於我,研讀台灣文化。

他父親原是空軍軍人,娶屏東女子為妻。大陸撤退時,她祖父母帶了七個子女隨蔣軍逃到台灣,留下長子看守大陸的祖產。

戴同學生於屏東,長於台北。從小只聽她祖父母提起故鄉在福建同安,開了幾家雜貨店;聽說大伯父還健在,可是那些祖產都被共產黨沒收了。

她考進共立女子大學後,我問她近代史的常識,她只知道在中華民國編印的教科書上背過的日本帝國侵略中國和中共的暴行而已;至於祖先們如何遷移到台灣,皆一問三不知。

正好手邊有一篇王詩琅先生所寫的〈孝子尋母記〉,我便囑咐戴同學細讀一遍。這篇小說內容敘述福建南安縣有個名叫明燦的小孩,母親於兵荒馬亂中失蹤,父親隨鄭成功軍隊來台後中槍身亡,孤零零的孤兒被親戚收養,其後到台,寄身於諸羅山(今嘉義地方),克勤克儉,終成巨富;重返福建尋母,千辛萬苦終於把母親接回台灣,兒孫團圓。

戴同學邊讀此篇小說,邊找地圖,始知同安縣就在南安的南鄉;透過明燦一家人的生活,她彷彿看到祖父母早年在大陸的艱苦生活;隨著明燦父親從軍開拓台灣,她了解了台灣開拓史的一頁;隨著明燦返回故鄉尋母,她想念起從未見過面的大伯父。

總之,這篇小說觸發了她「尋根」的契機。爺爺、奶奶雖已去世,可是她現在才發覺做台灣人的坎坷運命;教科書上從未出

現的屏東山河，是她生命的原點。

王詩琅先生藉著明燦尋父尋母的故事，展現了台灣早期漢人到台墾荒的歷史，無非要告訴台灣人勿忘「尋根」。而不論是來自南安或同安，只要定「根」於台灣，他便是台灣大地的兒女，便是所謂的「台灣人」了。

收集在本書裏的諸篇故事，除了明燦一家人之外，其他如林道乾、鄭成功、寧靖王、郁永河、王得祿、劉銘傳、丘逢甲、莫那魯道等，都是台灣史上不可磨滅的英雄人物。在國定教科書不編寫台灣歷史的年代裏，王詩琅先生把他們的傳奇故事寫給少年們閱讀，無非教育下一代勿忘自己的鄉土。雖然這些故事不一定是歷史的史跡，但從故事當中可以認識台灣歷史及社會的演化，因此，我把它編輯成冊，題爲《孝子尋母記》做爲「台灣歷史故事」，於一九七九年編入《王詩琅全集》第二卷。今由玉山社重新出版，深慶之。是爲序。

——— 一九九八年末序於日本共立女子大學
（本文作者爲日本共立女子大學國際文學部教授）

歷史的觀點

鄭清文

有人說，台灣沒有歷史。當然，和擁有四、五千年歷史及世界四分之一人口的泱泱大國相比，台灣的歷史可說短暫而渺小。

但是，歷史的觀念也正在改變中。

日本中央公論社出版過一套《世界的歷史》，共十六卷，正在重編改寫中。這次最大的更動是，除了維持四大古文明及各大國的歷史以外，也重視中東、非洲和整個環太平洋地區。他們已懂得為新興或弱小國家做出更平衡的纂述。

歷史是可以改變的。甚至有人說，歷史是一種主觀的選擇。我們在大學讀過中國近代史的人，就知道這段歷史是如何編造出來的，何況是更早以前的歷史。

王詩琅先生（一九〇八——一九八四）在一九五五年前後寫了十二篇文章，合集叫《台灣歷史故事》。

有人認為台灣沒有歷史，可能是因為台灣沒有出現過皇帝，也沒有發生過什麼重大的事件。其實，台灣的歷史是由庶民所造成的。

王詩琅的十二篇歷史故事，除了鄭成功以外，幾乎都不在大歷史的範疇裡面。但是，實際上這十二篇故事卻形成了台灣歷史的重要架構。

〈孝子尋母記〉是從行商的角度看早期台灣的社會生活。〈郁永河採硫璜〉是開拓探險的故事。當時，台灣還是瘴癘之地，開採硫礦是高度困難，高度危險的事業。〈林先生開大圳〉寫施長齡在彰化開大圳，使荒埔變成良田。〈血洒蛤仔難〉是宜蘭地區的開墾史。吳沙在墾荒時，遇到原住民的抗拒，他終於化干戈為玉帛，和日本在台灣治蕃，或美國開發西部，殘殺許多印地安人是多麼的不同。

或許，有人認為王詩琅的《台灣歷史故事》，只是故事，不能算是歷史。也就是說虛構的成分較大。實際上，有一部分的人

認為歷史本身就有相當的虛構性。歷史是一種主觀的選擇，甚至可以捏造。像日本的天照大神，像中國的黃帝，到底有多少真實？

其實，王詩琅的歷史故事，通常都記載著發生的年，甚至記載到月和日。這表示對於史實的尊重。

王詩琅是一位史學家，同時也是一位文學家。他的成就是多方面。

一九七九年，張良澤教授編輯出版《王詩琅全集》十一卷，內容是：台灣民間故事、台灣歷史故事、台灣風土民俗、刪節台灣通史、台灣片斷史論、台灣社會生活、台灣人物略志、台灣人物表傳、台灣文教論文、文藝創作與批評、兒童文學之創作及翻譯。從這些內容，也可以看出王詩琅關懷的重心了。

更重要的是，這些文章都是用中文寫成的。根據日本集英社《世界文學大事典》第一卷（一九九六年）的記載，早在一九三五——三六年之間，也就是一九三七年日本在二度禁用漢文之前，他一口氣用中文寫了五篇小說。這也可以看出他的堅決與執著。而他的中文，正確、流暢和簡鍊，在他那一代，是稀有而可貴的。

由以上的敘述可以了解，王詩琅的全部關注在台灣。為此，他從每一個角度去闡述台灣。雖然，他寫的並不全是歷史，他卻有意從各種角度去呈示台灣歷史的內涵。其中最重要的一點是，他在一九五五年，已能重視原住民在台灣歷史中所扮演的重要角色了。

歷史，並不一定是大事件、大人物的記述。歷史是由人民的悲喜所造成的。

我在河邊長大，愛用河流做比喻。大事件，只是河面較顯著的漂流物，整條河才是歷史的底蘊。

王詩琅從各種角度去寫台灣歷史。從歷史可以看過去，但是更重要的是未來，是河水的流向。

（本文作者為小說家）

我的大伯公王詩琅

編序
王心瑩

後人或稱王詩琅先生為「陋巷清士」、「台灣文獻家」或「台灣的安徒生」，然而在我零碎的記憶裡，王先生只是一位困坐書堆、行動不便的垂垂老者。印象最深刻的，是每年和王先生一同參加王氏宗親會的午宴，那時我還只是小孩，最愛看著王先生嘴裡不斷鬆動的假牙，很好奇假牙為什麼不會掉下來。

那些年裡，我還不瞭解這位我喚作「大伯公」的老先生，是一位多麼了不起的文壇前輩。我唯一關心的是，他親切地告訴我，等他身體好些，要講全本的三國演義故事給我聽。然而，小學四年級時，他終於掙脫困住身軀多年的病魔，雲遊去了。我始終沒有等到這些故事。

多年之後我才慢慢了解，愛讀書的父親，原來就是受到大伯公的影響。父親小時候最愛到王先生的辦公室，或是汕頭街積滿蜘蛛網和灰塵的閣樓書房，翻找堆積如山的書籍；在那個物質缺乏的年代裡，這些書籍和王先生主編的少年讀物《學友》雜誌，啓蒙了父親的知識視野，更間接地將這個「愛讀書」的優良傳統，隔代遺傳到我身上了。

長大之後，求學期間雖然念的是生物和化學，但是人生繞了一圈，最後竟然從事專業台灣文史書籍出版的編輯工作。一日，翻看家中書櫃尋找資料，無意間找出大伯公故後出版的一本紀念選輯《陋巷清士》，發現書中有大伯公自述的這樣一段話：

「筆者這一輩子與『編』字結了不了緣，如編輯、編纂、編輯主任、主編、編纂組長等到退休為止……光復後側身台灣文獻界，台灣研究成了職業。退休前後對日據前後這一段歷史饒有興趣，便從事研究。」

人生真是奇妙，當年大伯公對台灣鄉土的熱愛與深情，竟然又在我身上應驗了，我和大伯公走上相似的路，都想為台灣文化留下一點東西。

　　如今，玉山社出版公司願意重新出版王先生過去寫給青少年朋友的台灣故事，我不論是站在編輯的專業角度或是王先生家族的角度來看，都覺得是美事一件。這些故事大家或已耳熟能詳，但是出自這位有著「台灣的安徒生」美譽的前輩作家之手，相同的故事煥發出不同的光彩，加上王先生熱愛台灣鄉土的心意深刻其中，多年之後再讀仍覺雋永動人。當年發表這些故事的《學友》雜誌雖然早已停刊，但是許多現在已過中年的讀者想必記憶猶新；現在再能讓兒孫輩重讀，盡顯傳承美意。

　　值得一提的是，書裡邀請畫家王灝先生與李欽賢先生，為這些故事添上新的插畫，增加新的想像空間與歷史意義，是這兩本書重新發行的最大特色。由於時代變遷，有些名詞在現代以較中性的語法來表示，例如將「山胞」改稱原住民，「大陸」改稱中國，「本省」改稱台灣，「光復台灣」改稱收復或戰後，「日據」改稱日治，然而為求原文完整，這些名詞在書中仍保留原本的用法。另外，多年來行政區域的劃分有許多改變，文中保留過去的地名，並用括號註明現在地名。王先生說故事時常用台語的語法，或許有些讀來不易明瞭，但在書中仍然盡量保留原本的語氣，讀者可以感受到濃濃的台灣味。

　　希望這些故事能夠像西方的「安徒生童話」一樣，在台灣永遠流傳；而由以漢文創作的前輩作家來說故事，更是文化傳承的最佳典範。

（本文作者為玉山社主編）

13

自序

王詩琅

人之一生好像長途旅行一樣，可是說也奇怪，每一個人走的路，倘若仔細觀察起來卻都不相同，真的是千態萬樣的。能夠按照自己的理想，原定的計劃走完了漫長的歲月，實在是微乎其微。走的路不是被迫跟自己的理想背道而馳，便是隨波逐流，再不然本是沒有甚麼奢望，走的卻超出自己的理想，一帆風順稱心如意……。總之，曲曲折折的人生大都是很難預料的，甚至事與志違居多。

筆者的一生平凡無奇，也可以說是屬於被環境迫出來之類；生長於商家，父母期望規規矩矩繼承家業，做個商人，當然他倆是殷望最好是能夠進一步，「鴻圖大展」，把它發揚光大。祇是筆者卻違背他倆的期待，自小就喜歡看書。可是筆者不肖，自幼即置家業於不顧，書房、學校課業之外，章回小說染上了癮；稍大，更終日手不釋卷，讀書範圍也隨之擴大。因為父母認為商人不要高深的學問，沒有升學，所以自己便在獨學之中，中學、大學的講義錄固不消說，舉凡今古、中、日文、通俗或學術，大收廣羅，理化、自然科學之外，無所不讀，而且讀得入迷，看不懂的，則非追根究底，摸到「通」不肯罷手。

在年輕時候，基於民族熱情，曾插手反日運動，到了反日運動被日當局扼殺之後，朋友們相繼辦雜誌，當時每有囑咐，便寫些新詩或者評論之類來塞責應付，並藉此填填精神上的空虛。後來復又由於偶然的機會，捨棄了商人生活，遠渡大陸進入報界，這遂成了文筆生活的轉捩點。本省光復之後，仍繼續編與寫的工作，編的方面，則或編報，或主編通訊社、雜誌、誌書，就是從事公務，工作也並無二致；寫的方面更加不必說了。現在雖然退休，賦閑在家，還時常寫些東西應景。

幾十年來，筆者生活就是在編和寫之間，也可以說編是正業，寫是副業，一家大小能夠安定過日，都是這兩種工作所賜。現在年逾古稀，回憶過去，對在天之靈的父母，雖然未能依照他

14

俪的厚望，做個商人，內心難免有點愧疚，但自己能夠走出一條小路徑來，而且不累人，未至辱及地下的兩老，也聊可以自慰。

筆者在上面也已說過，人生在世，走的路大都是環境迫出來的。筆者也是如此。而且正業都是與「編」字有關的，編輯、編輯主任、主編、編纂、編纂組長等，幾乎佔了全部生涯。至於副業的寫作，差不多也都是被迫寫出來的，這一面的時間更久，因此，範圍很廣泛。日據時期的詩、小說、論說、文學評論等固不消說，光復以還的社論、鄉土史、史論、誌書、風俗資料、考據、兒童文學、報告、民間故事等等莫不如此。

自古，在臺灣文字工作不受重視，這當然是這地方的客觀環境使然的，然而筆者不敏，一輩子竟然在這劣惡的環境中打滾討活，與文字結了不了緣，縱然與自己的興趣不無關係，可是或者是「命該如此」。

筆者自幼身體孱弱，且性戇直不善言詞，沒有商才，粗重的靠體力的生活，更是無能為力。所以早年關心筆者的一些戚友就很擔心，據說每提起這「文不能童生，武不會槍兵」的將來，便感頭痛。現在半生已經安然挨過，日後互相碰頭，還要提起此事，感嘆「天不絕人之路」。

文友們每當碰頭，大都要欣羨筆者一生能夠一貫地從事文筆工作；其實，這種看法並不盡然，「一貫」地從事文筆工作固然不錯，但如正業的「編」，有編報，有編兒童讀物，有編雜誌、誌書、有文獻工作，範疇都是不同的。至於副業的寫作更是五花八門。這時候都要慶幸自己的興趣涉及多方面，而更慶幸早年亂讀所得來的知識，得以派上用場。

幾十年來，筆者撰作雖多，所涉方面也廣，這些龐然的雜物是否每篇都值得一讀，或可以留下來供後人的參考，那只好讓賢明的讀者自行判斷了。

謹談些寫作往事以代序，請讀者原諒。

（本文出自一九六九年，德馨室出版《王詩琅全集·孝子尋母記》作者自序。）

台灣歷史故事

The Characters in Taiwan History

林道乾
鑄銃
打自己

① 明朝嘉靖年間，浙江、福建、廣東等幾省沿海一帶，時常出現了兇狠的海賊和倭寇，擾亂各地。他們出沒海上截擊航海中的船隻，搶奪財物，或登岸打家劫舍，行蹤飄忽不定，殺人放火，是很平常的事，所以船戶和商人，以及居民，一提起他們來，都不寒而慄，恐怖不安。

林道乾原是這些海賊中的一個首領。他是廣東省的潮州惠來人，生來勇猛過人，膽略又好，在海賊中，是一個很出色的人物；而且素有雄心大志，不願以海寇終其一生。不知道他在甚麼時候，從洋人學得製造槍和礮的技術。他又很有見識，深深知道這是使國家強盛的要道。由於這槍礮的出現，可以使戰爭改觀，誰有這種新式的武器，誰就可以制勝敵人，所以他對於槍礮的製造，非常用心研究。

有一天，他偶然巡視部屬的營房時，走到船頭，迎頭碰著一個陌生人，那個人一見他，就站住腳，將他自頭到腳打量了一番。

「幹嘛？你這樣瞪著我？」道乾睜大眼，瞪住那個人。

「請你不要見怪，我看先生有一表的好相貌。」

「看我的相貌！我的相貌怎樣？」

「先生的相貌很好，有帝王之相，只可惜⋯⋯。」

「只可惜什麼？」道乾覺得他的話有點蹊蹺，便又追問下去：

「你說可惜，到底是甚麼可惜？」

「可惜先生的祖上沒有積德，所以不能成就大業。現在青筋串眉，印堂帶暗，怕有點災難。」

「哦？先生貴姓？做甚麼生意的？」

「小的叫做吳半仙，是監州人，專門替人家看風水和相命的。」

「那麼，我有一門風水，請先生鑑定鑑定好嗎？」

「若不棄嫌，自當遵命。」

林道乾於是就命令車馬，載了吳半仙到他父親的墳墓去。吳半仙把風水前後看了一遍，搖著頭歎了一聲說：

「我實在沒有看錯，可惜你祖上缺德，福分太薄，不配得龍袍加身，所以山靈移動，真穴自行走了。」

「這是怎樣說呢？從我祖父到父親都有善行，怎說沒有德行呢？」

「本來德行是在隱處，不是在明

右側山頭是三百年前的高雄打鼓山，前面橫亙著旗津島，中間有一條水道。

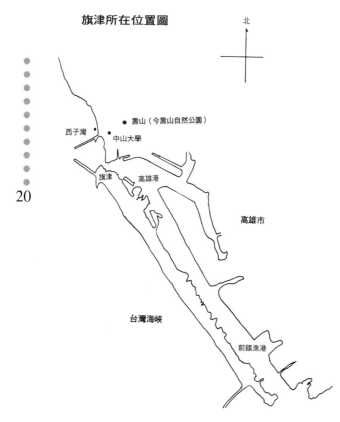

旗津所在位置圖

北

壽山（今壽山自然公園）

西子灣

中山大學

旗津　高雄港

高雄市

台灣海峽

前鎮漁港

20

處的。做了十件好事，卻被一件惡事破壞了。任憑祖上做了好事，積了很多德行，他的子孫若做壞事，那麼祖上的德行，也會消滅的。令先尊龍袍只穿了一半，我想最好還是另行改葬。」

道乾於是依了吳半仙的話，擇日令人把墳墓掘開，將父親的骨骸用紅綢包起，以待擇地改葬。

這時候海賊橫行，越鬧越兇。明朝政府令派閩浙都督俞大猷，帶了海陸大軍，分水陸兩路，進剿海賊的船隻和巢穴。本來海賊是烏合之眾，受不了這強力的進剿，死的死，散的散，林道乾和妹妹等一夥，也就在這時候拋棄了根據地，東遷西移，過了一個時期的逃亡生活之後，他覺得這樣終非了局，於是決定揀個較遠的島嶼，作爲棲身的地方。

＊　　　＊　　　＊

❷ 臺灣海峽正當波濤險惡的時候，林道乾的船隊，衝風破浪，經過了幾天的航行，遠遠地發現澎湖群島時，他抱著焦急的心情，命令駛向就近的一島嶼。船一近那島嶼，熟識這方面地理的部屬，說這叫做文澳，於是便在這裏停息了幾

天，經過了一番的調查之後，他知道這些島嶼也非久居之地，就下令起錨向東南的海上航行。

遠遠地由模糊之中，漸漸浮現一座翠綠的山峰了。他站在船頭，雙手叉腰，兩鬢髮絲任憑海風吹飄，深深吐了一口氣，扭轉頭問身邊的人道：

「那是甚麼山？」

「就是打鼓山。」

原來已到了目的地的臺灣了，這打鼓山就是現在高雄的壽山。船一靠近海岸，秀麗的山勢，越發顯明，於是拋了船碇後，大家紛紛捨舟登陸，撥草攀枝，爬上山頂，眺望風景：南國澄碧的天空之下，山勢巍峨，優婉而雄壯；接著一望無際的大海，白鷗海鳥「吱吱」悠揚地翱翔於萬頃銀波之間。這天、山、海配成的美景，他不覺陶然起來，又欣賞了一會。自開始逃亡以來幾個月間，積鬱在心坎的酸苦悶氣，頓時一掃而空，長久間的疲勞，也好似忘掉一樣，心神輕鬆起來，他不覺地口露微笑，對站在身邊的妹妹說：

「好，這裏可以作寄身之地了。」

他隨即命令全部人員上岸，築屋結廬，準備久居。

臺灣在這時候，雖是隸屬明朝的領土，可是明朝政府對這孤懸海外的島嶼，並不關心，始終沒有採取過甚麼措施，視為化外之地。所以這美麗的寶島，雖然埋藏著豐富的資源，可是到處都還是野獸橫行，林木參天，而以日昇月落分辨晝夜的山胞，還在過著原始生活，簡直就是一個桃源仙境。

冬去春來，林道乾在這裏不覺地過了一年了。他自定居這地方以來，除了操練部屬的兵法之外，又開始了槍砲鑄造的研究。每天親督兵士燒火呀，打鐵呀，製火藥呀，忙個不停。

春天是臺灣氣候最好的時節，在暖和的陽光，微微的春風

裏，從冬眠醒過來的樹木，已吐出嫩葉，小鳥婉轉歌唱，漫山遍野開著鮮豔的花朵。林道乾看到這樣大好的春光，這一天特地停歇工作，背著打獵的槍，信步向山野走去。他一路賞玩大自然的美景，竟留連忘返，不覺進入深山。忽然，從茂密的森林走出頭戴道巾，身穿道服，髮鬢已雪白，一手托著拐杖，一手拿著緋子的老道人來。他沿著蜿蜒的小徑，一步一步向他這方面走來，道乾停了步，呆了一會，猛然覺得這一定不是常人，連忙迎上去，恭恭敬敬打了一個揖。那老道人也停了步，把他週身打量一下，露出了微笑道：

「你就是林道乾嗎？好，我正要找你。」

「哦！不知道老道人有何見教？」

道乾聽見他叫自己的姓名，不覺一怔，只見老道人從道袍袖裏掏出了三把箭，對他說：

「你命中注定有帝王的福分，這三把箭你拿去……。」

老道人又告訴他，這些箭的射法，箭射後怎樣就可以獲得帝位。道乾接過手，慌忙跪下叩謝，一抬起頭，那老道人已經不見了。他滿心歡喜，緊緊地收藏起來，踏著大步回家。

＊　　　＊　　　＊

3 春末的一個晚上，皎潔的月亮，剛剛由東方的山上探出頭，他滿懷希望，步到妹妹金蓮的閨房來，對她說：

「妹妹，明早錦雞一啼，妳一定要叫醒我，千萬不要忘記，要緊！」

原來金蓮養著一隻錦雞，據說這隻錦雞很久以前，就棲宿在打鼓山中，每天清晨就要鼓起翅膀，啼叫起來，這啼聲附近三十里都可以聽見，且牠啼過之後，普通的雄雞，才會跟著啼

起來。因為牠啼叫時刻很準確，所以從來就叫牠做「標準雞」，又因為牠是神雞，所以人們都不敢傷害牠，後來道乾在山中打獵，把牠捕回來，金蓮就裝在籠裏小心餵養牠。

「有甚麼事情嗎？」

「……」他只微笑，沒有答話。

「明早要出海是不是？」

「……」他仍是微笑，搖頭不答。

「好，你不說出來，我就不叫你起來。」

她站起身就要走，道乾連忙捉住她的手臂說：

「不要發怒，好妹妹，我說我說。」

他於是將老道人贈箭的事，從頭至尾說了一遍。金蓮看他態度這樣認真，近日來行動又那樣緊張，也就相信他的話。

「好，我一定叫你。」

「千萬不要忘記，成功失敗都是在那一時刻。」

道乾最後再鄭重叮嚀一句，才離開妹妹的閨房。

金蓮待哥哥走後，就將錦雞籠拿進房裏，並在籠上蓋上黑布，才去睡覺。可是她一心歡喜，一心驚懼，深恐貪睡，延誤了那要緊的時刻。因而在床上輾轉反側，不能成眠，一下子就起來掀開紗窗，望望天空看有沒有發白，一下子又回床躺下。

夜深了，金蓮竟不知道甚麼時候，朦朧睡去。忽然被貓追逐老鼠的響聲吵醒起來，她以為時刻已到，霍地跳下床，

錦雞

23

連忙將籠上的黑布掀開一看，才去望天空。那錦雞經這一嚇，也醒起來，猛見燈光以爲是天亮，於是伸長脖子：

「喔喔！喔喔！喔喔！」

響亮地一連啼叫了三聲，接著附近的雄雞也相繼啼起來。只是這時候，東方卻只浮起稀薄的雲霞，還是四更時分的景象。

林道乾在這一夜裏，因爲是成敗的關鍵，胡思亂想，半醒半睡；一聽雞鳴，就一骨碌跳起身，雙手抓起弓箭，奔上山頂，站定身勢，使盡平生的氣力，拉滿弓絃，指向皇宮的紫禁城，「颼」的連續射了三箭。他看箭都鑽入了雲層後，才心滿意足地拖著疲倦的步伐下山，等待好的消息。

*　　*　　*

④ 有一天，他派部屬出海去探聽消息。部屬回來說：他發射三枝神箭時，因爲時刻過早，皇帝還未登殿，一枝是中著皇帝寶座的正中，一枝射中左靠手，一枝射中右靠手。因爲每枝箭都刻著「林道乾」三字，皇帝非常震怒，已派出大隊兵船，來臺灣征討了。

他聽到這出乎意料之外的消息，腦袋好似猛受一擊，心緒大亂，馬上又想起那吳半仙說他福分太薄的讖語來。他極力裝著鎮定，於是命令所屬，把重要的東西，全部裝入船中，待機出發，躲避官軍的征討。可是消息傳出後，部下看情勢不好，大都星散，私自逃走了。第二天的下午，又出了他的意料外，在山間巡哨的部屬，慌慌張張跑上來報告，說外海出現了船隊，似乎是官兵的船隻。道乾又嚇了一跳，跟著走到海岸，睜眼一望，果然遠遠的煙波上，浮出點點的船隊。他於是轉身入

軍帳，下令全部人員加緊準備，明早以雞鳴爲號出發，才又匆匆跑到金蓮的閨房說：

「妹妹，妳知道了罷，趕快準備呀！」

「啊！」她好似失神一樣默默不答。道乾一見，好不焦灼，踱近她的身旁，又再催促一遍，只見她仍然不答。她美麗的眼眶，淚珠已一串串淌下。他更加不安地安慰說：

「快準備吧！我們明天一早就要走了。」

「哥哥，對不起，我不小心，竟造成了大錯，惹出了禍來，這都是我的罪過，請你饒恕我。」

她說完了話，竟放聲大哭起來。

「妹妹，我沒有怪妳，萬事都是天數，妳放心。」他又溫言安慰一番：「我們若逃得生命，再重整旗鼓未遲，趕快收拾要緊的東西。」

「哥哥，我不想走了。」

「甚麼？」他驚訝地叫起來：「你不走，妳要白白給他們捉去殺死嗎？傻瓜，快準備。」

道乾憤怒起來，用強迫的口氣命令她。

「我不走，我若跟你們走，你們就要受我拖累。橫豎那土窟裏十八籃的白銀，你們是無法帶走的，我替你們守那些銀子好了。」

道乾看她那樣倔強，強迫不成，只有軟勸，於是轉換了口氣懇求她：

「妹妹，妳要顧念哥哥和這班兄弟呀，若拖延了時間，大家都不能走呀。」

「好啦，遵哥哥的命令就是了。」

她忽然面露苦笑，從容地說：

「哥哥，你也該快去準備呀！」她站起身，指著紗窗外繼續

說：「哥哥，你看他們都那樣忙。」

　　道乾聽她說願意走，鬆了一口氣，也跟著她站起身來，眼望窗外。她趁他不備，突然迅速地拔起他腰間的寶劍，猛然向頸子一刺，撲的昏倒下去。道乾猛不防聽見背後一響，一翻過頭，只見她倒在地上，頸間迸出鮮紅的血，像泉水一樣，濺得滿地通紅。他「噯呀！」一聲，忙把她從血泊中抱起，只是她已不能言語，不一刻就斷了氣。

　　一會兒，房裏擠滿了人，手忙腳亂在收拾屍體。道乾茫然站著，忽然看見錦雞的籠子放在房裏一角，怒氣從心頭起，憤恨地罵道：

　　「你這小畜生，我的大事都被你誤壞了。」說罷，嘆了一口大氣。

　　金蓮的屍身，草率地埋葬在十八提籃的白銀地後，道乾拖著疲倦的腳步，回到軍帳，令人將錦雞籃拿到他的帳裏來，可是錦雞經道乾這一頓責罵，當夜竟不啼鳴，而附近三十里的雄雞，也跟著噤了口不敢啼了。

＊　　＊　　＊

5　「啊！不好了。」
　　第二天，道乾在噪雜的人聲中，驚醒過來時，東方已經發白，太陽快上昇了。官軍已紛紛從海岸登陸，採取了包圍陣勢迫上來。他責問衛兵，都說錦雞不啼，所以全軍軍兵不敢動身。他滿腔怒氣，指著錦雞大罵：

　　「你這畜生，一誤再誤，該啼的不啼，不該啼的時候又啼起來，可惡——。」

　　說著一手將牠摔死，令人埋牠在妹妹的墳墓旁邊。

這時候遠遠地喊殺聲，鼕鼕的戰鼓聲，越發響得厲害，大家都嚇得面色慘白，渾身顫抖，面面相覷。道乾在絕望中，忽然好像有所悟，鎮神靜氣，恭恭敬敬向西方的天空打了一揖，雙腳跪下，伏在地面禱告，然後站起身，拔起佩劍，向打鼓山的縫處一指，喝聲：

「開！」

於是大地開始震動，瞬間轟然一響，這座巨山徐徐地裂開爲兩片，而中間成爲天然港門，同時，道乾手中的寶劍也應聲墜落海底去。全軍「嘩啦！」的狂叫起來，慌忙從這邊乘船逃走。官軍雖然跟後追到，但看見這奇蹟的出現，不敢追趕上去。

十六世紀的鐵鑄大砲

道乾本是一個立志做大事的人，並不因爲這接連的挫折而灰心，所以經過這一次天賜的奇蹟，僥倖逃到南洋的大泥，生活稍告安定之後，他那勃勃的雄心，又再燃燒起來。每天操練兵法，而且對槍礮的研究鑄造，更加用心。不久，他製造的小槍，已經實驗成功，而新鑄造的三尊大礮，也完成了。這種礮的用法很簡單，只將子彈和火藥裝入礮斗，然後點火燃燒發射。

重陽後的一天，陰霾滿佈，下著毛毛雨，已經微感冷意了。他決定試驗這三尊發明的大礮，一清早就起身，帶了兩個衛兵，攜著火藥到安礮的地方。這一次的試驗，是要看費盡心機的發明品的成果，所以他是非常隆重的，他命令先排起香案祭告天地後，靜聲地先將火藥裝入最小的第一尊礮斗裏，插上了引心，做好姿勢，才在引心點起火，不一刻只聽見「轟隆！」一聲，礮口噴出火花濃煙，大地還微微震動。他兩眼望著火煙，一直看到消逝後，狂喜地叫聲：「好，成功了。」於是，他繼續試第二尊大礮，這也一樣成功，輪到最大而最成問題的第三尊礮時，他照樣裝藥，插上了引心，點上火，等待射出。只是奇怪得很，那礮口卻寂然不動，他於是重新裝點第二發，只是依然不動。

「這就奇了。」

他側著頭，焦燥地、仔細地檢點礮的各部門，可是並沒有發現弄壞的地方。他忽然想起甚麼似的，又到香案前燒起香禱告：

「這尊礮倘若成功，我當以身祭祀。」

禱畢，回到礮前再裝藥，插引心，身擋主礮口，大聲命令衛兵：

「喂！快點火。」

「轟隆！」

地面一震動，只見道乾跟著礮口噴出的火煙，飛上半天才墜下，他的臉上還露著勝利的微笑。

四百年前，我們最初製造槍礮的始祖，於是壯烈地以身殉他的發明品了。

所以臺灣日後流傳著「林道乾鑄銃打自己」的一句俗語，就是指這個故事。

鄭成功拒降記

1 明朝隆武二年，也就是清兵入關的第三年，明軍節節敗退，清軍已渡過長江，佔了南京，長驅直進，攻入福建省境了。隆武帝駐在福州，因為鄭成功的父親鄭芝龍，存心向滿清政府投降，不作防禦，退到故鄉的安平，以致清軍不費多大的氣力，就得佔領了。

鄭芝龍投降滿清的談判講好的時候，鄭成功剛從外面募餉回來，他一聽到這消息，忙向父親苦諫，但他的話不但不被父親接受，反受他一場痛罵，所以成功就帶了一部份的將士，來到金門島待機，靜看局面的演變，以圖再舉。

金門島冬天的天空，在更深夜闌裏，格外顯得漆黑荒涼，十二月的朔風，遠遠地在海上呼呼吼著。鄭成功在油燈搖晃的臥房裏踱來踱去，覺得很悶，於是打開了房門，步出了中庭，深深地吐了一口氣。

這一兩個月來，一連串的傷心事，猛然又湧上心頭來！父親的投降，福州的淪陷，隆武帝的殉難，母親的死去……，尤其是父親鄭芝龍，利祿薰心，惑於敵人的甘言蜜語，對危難的大局，袖手不顧，眼巴巴讓國土一塊塊給敵人佔領去，已是夠令人痛心，後來竟真的上了清軍的大當，決定向他們豎起白旗，更是令人痛恨。他又想起當時自己曾竭力反對他，阻擋他，且極言說：

「從來做父親的，只有教兒子要忠誠的，未曾聽過教兒子去做叛逆的。現在父親既然不聽兒子的話，萬一發生了不幸的事，兒子只有穿孝服了。」

可是，過了幾天，芝龍竟不顧一切，帶了五百軍士，到福州向敵軍投降去了。

成功不覺抑住了心頭的悲哀憤怒，禁住了滿眶的熱淚，暗

暗在心裏發誓：

「好，我一定要重整大明的山河，奮鬥到底！」

成功這一年只有二十三歲。

＊　＊　＊

②明朝末期的崇禎年間，政治不好，國力漸衰，流賊李自成、張獻忠乘機作亂。到了崇禎十七年，李自成攻陷京城，崇禎帝就在北京的煤山縊死，吳

鄭成功畫像

三桂引清兵入山海關之後，中國北方半壁山河，便淪入滿清的手裏。翌年，明朝的後裔弘光帝在南京即位，但是沒有幾個月，南京也被清兵攻破，弘光帝同時遇害。不久，隆武帝在福州登位，可是擁有兵力的鄭芝龍，看大勢對明朝不利，受了滿清的誘惑，不肯出力，以致清軍如入無人之境，輕易地佔領福州，隆武帝只經過了一年多，就為國殉難了。

成功雖然在短短的期間中，眼看隆武帝殉國，母親田川氏在亂軍中死於非命，而且父親鄭芝龍又失節降敵，國危家破的事情接踵而來，可是他的意志不但沒有消沉，倒因這些不幸事，激起他的忠魂義膽，使他蹶起，決心負起推進反清復明運動的重擔。

鄭芝龍去福州投降的消息傳來後，成功馬上就從金門島趕回安平的老家，處理善後，策劃怎樣重建陣容，好來收復失土。可是他暗自忖度，自己受隆武帝封「忠孝伯，賜尚方劍」，拜爲御營中軍都督，但經常不過是在宮中待從皇帝，一向未嘗參與過甚麼兵事，就是舉止行動，也還是一個文雅的書生，目前艱鉅的責任，並不是這樣的人可以擔負得起的。一切都非從頭做起不可！於是他揀了個日子，親到孔子廟，恭恭敬敬跪拜先師孔子，禱告說：

「我從前是一個儒生，可是現在卻做了孤臣了。此後向背居留，只有各行其事，謹謝儒服，敬祈先師昭鑒！」

禱告完畢後，他就學漢朝的班固投筆燒儒服的故事，將所穿的儒服脫下來，全部焚燒，以表示要改文就武的決心。於是他就糾合了平素意氣相投的陳輝、張進等愛國志士九十餘人，分乘兩艘艦船赴南澳，以便重整旗鼓。

成功抵達南澳後，馬上豎起「忠孝伯招討大將軍罪臣國姓」的大旗幟，廣招兵馬，建立軍隊，不多時，就募得數千人，於是又將根據地轉移到廈門的鄰島鼓浪嶼，設立明朝的高宗皇帝的神位，並在神位前舉行誓師典禮，散發自己的財產，犒賞三軍將士，所以大家都感動萬分。他又對這些部眾，說明勤王興師的意義，並和他們互相勉勵說：「我們都是明朝的臣子，中興的責任，是落在我們的雙肩，願大家協力，共同奮鬥！」

各地的義士聽到這消息後，紛紛投奔到他的旗幟下。所以

他的這支軍又漸漸被人家注目了。他看部署粗定後，就開始征戰，在這一年間曾收復過福建、廣東兩省的一部份和鄰近的要地。次年，明朝的後裔桂王在廣東的肇慶即位，改號永曆，成功很高興帝位有人繼續，馬上派人上表，奉爲正朔。到了永曆四年，攻取了廈門、金門兩島做根據地後，他除擴大訓練軍隊之外，還著手整理內政，禮賢下士，聲勢漸漸地壯大起來，成爲清朝的大勁敵。

33

＊　　＊　　＊

3 　自鄭芝龍投降後，清軍與鄭成功軍間的戰鬥，差不多沒有停歇過，而且清軍每次都蒙受了很大的損失，鄭成功軍卻越戰越強大，所以滿清政府就動了念頭，想以懷柔方法招撫成功，有時是清朝皇帝親自下詔招撫，或封他爲海澄公，或派他爲靖海將軍，或委任他統管全部福建，威脅利誘，用盡了方法。可是成功胸中早有成算，對滿清的態度，有時是愚弄他們，有時是嚴詞拒絕，甚至不理他們，不作答覆。所以清廷終而憤怒起來，最後還發詔諭恐嚇他說：「你投降便罷，不然，你想一想，不要後悔。」滿清政府招撫成功的時候，除了直接下詔封他職位之外，還時常令鄭芝龍利用父子之情誼，寫信勸他投降，只是成功始終都加以拒絕，不接受父親任何的規勸。

　　滿清政府封成功爲海澄公的事是這樣的：永曆八年，清廷看見成功的勢力在閩南一帶日形強大，倘不從速將他剷除掉，可能成爲心腹之患。於是，封鄭芝龍爲同安侯，以表示自己對他們的優遇，同時遣派姓鄭和姓賈的兩個使節帶海澄公敕印，和他的弟弟鄭世忠持芝龍的信函同道，來到廈門，勸誘成功及他們還未歸順的族人投降。成功一見這些使節及世忠，本擬即

刻加以拒絕，但為顧全父親的性命，就藉口說自己的部隊沒有地方安插，不肯接受敕印。

可是這時候成功勢力雖然日漸擴大，但是明朝的前途命脈，愈見渺茫，復明的大業，遙遙無期。況且芝龍的來書又極懇切，所以芝龍的弟弟鄭芝豹，從弟鄭彩、鄭聯等一些意志薄弱的人，就不堪誘惑，應詔投降去了。

世忠和清廷的使節返回北京復命後，滿清政府雖然知道成功的意志很堅決，可是仍不願放棄誘降的原意。於是過了一個多月，就在這一年的冬天，決定再授成功更高級的職任，封他做靖海將軍，又派了內院學士葉成格和理事官阿山兩個特使，和成功的四弟鄭渡，攜帶了封授，以四府安插兵將的詔書，又來到改稱思明州的廈門招降。

這一次，成功是在思明州的拜恩寺接見的，兩個清使一見他，就說明滿清皇帝應他的要求，才下這一詔書，並令他跪接聖旨，剪掉明朝時所留的頭髮。成功聽了，勃然變色，瞪他們一眼道：

「我是明臣，不受清詔。」

清使說：

「這一次聖上是照你的要求，賜你福州、興化、泉州、漳州四府的土地，你應該薙髮接旨投誠。」

成功不覺火從心頭冒出來，大聲說道：

「胡說！四府本就是我們大明的土地，誰要你們來賞賜，你們借討賊的名義，佔據我們的中原，貪利忘義，難道還不羞嗎？我正恨未能剿滅你們的巢穴，為國家雪恥，為甚麼倒要我薙髮，跪接你們

的聖旨？你們聽著吧，海可以枯乾，石頭可以腐爛，我鄭成功的心，是絕不能移的！你們回去告訴你們的主子，我鄭成功只知道有明朝，不知道有清朝的。」

說罷，拂袖而起，步出門外。他的四弟鄭渡，看了場面空氣不好，早就耽心，到了成功發怒大發議論時，更嚇得捏了一

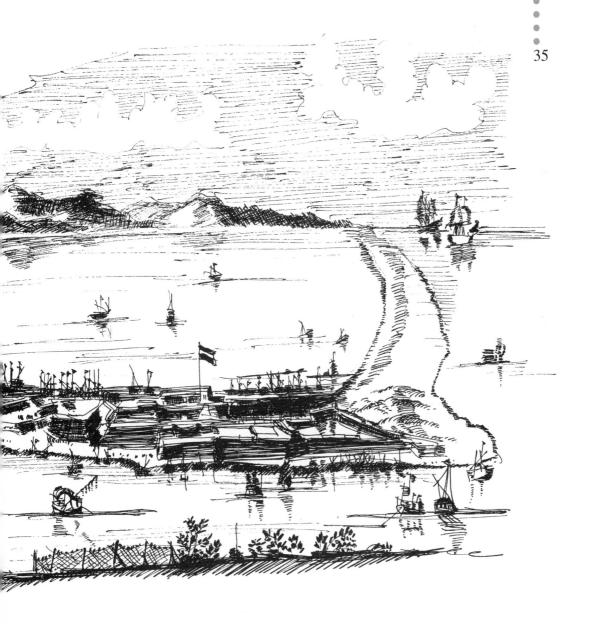

荷蘭人統治下的熱蘭遮城（安平）——摹自荷蘭古圖。

把汗，一見他步出去，連忙緊跟在後面，打著顫抖流涕哭泣說：

「哥哥，你若不降，父親的性命恐怕難保。」

成功不覺鼻酸起來，含淚對弟弟道：

「四弟，你回去告訴父親吧！忠孝不能兩全了，為兄已經決心全忠，所以無法盡孝。」

鄭渡再三勸他回心轉意，只是成功的決心，那裏能搖動，所以他們也沒有辦法，祇得空手而返。

成功在這一次回覆父親的函中，有一段再度堅決表明他的意志，他說：

「兒子的聲名，天下的人都早已知道，倘糊塗從事，一定要成為人家的笑話。父親你早已上了他們的圈套，到今天還能夠安然無事，可算是萬幸了，萬一有甚麼不幸，兒子只有穿孝服復仇，來完成忠孝，此外還有甚麼話呢？」

滿清政府的兩個使節，回到北京覆命後，清朝皇帝大怒起來，就把鄭芝龍禁錮起來，而把芝豹流戍於寧古塔。

＊　　　＊　　　＊

4 本來，鄭芝龍是一個海賊，早年曾到過日本。到了崇禎元年，受明朝招撫，後來建立了很多功勞，威震福建，有一個時期，他的一道令旗，就可以保得海上通航的安全。成功就是他在日本娶的太太田川氏所生的，也是長子。芝龍本來就沒有國家民族的觀念，只一味想做大官想發財，到了國家瀕於危機，滿清政府秘密派人招他投降，約定給他做閩浙總督，他為保存在福建一份很大的財產，所以就向清軍投降，誰知道一到福州，不但總督沒有給他做，馬上就被清將博洛送到北

京，以對付抗清復明的將士，做招降的工具。到了現在要投降的人，已經投降了，他的兒子鄭成功既已當面拒絕，雙方已沒有再談判的餘地，芝龍已沒有用處，就把他監禁起來。可憐投降主義者，大官沒有做，財產不能保，還做了囚人，這可以說是失節求榮的人，所應得的報應。

可是滿清政府卻沒有放棄招撫的政策，以後他們或直接或令鄭芝龍寫信，招鄭成功投降。到了永曆十五年，順治帝去世，康熙帝即位，鄭成功攻克臺灣的那一年，滿清政府改變了政策，幽禁中的鄭芝龍已沒有利用的價值，於是加以「通海」的大罪，說是鄭成功收買的商人，來南往北，時常暗暗和他通消息，於是在北京的鄭氏一家老少十一口，都被誅殺棄市，並且翻掘鄭氏祖先的墳墓，使暴骨於荒郊。他們說這就是對鄭成功忠貞不屈，一個懲罰，一個報復。這時候，鄭芝龍已經八十一歲。

消息傳到臺灣的時候，成功正從外巡視回來，站在熱蘭遮城遙望大陸，他非常悲痛，馬上命令所屬部下全部服喪；可是他反清復明的信念，更加如鐵一樣堅硬，反清復明的運動，更積極展開了。

37

開千古得未曾有之奇，洪荒留此山川，作遺民世界；
極一生無可如何之遇，缺憾還諸天地，是創格完人。

——沈葆楨題臺灣臺南鄭成功廟聯

寧靖王

①滿清自進入山海關，奠都北京，平定全國以後，最感頭痛的就是鄭成功及其後裔堅守臺灣的問題。這個中國東南方的孤島，自鄭成功於永曆十五年（順治十八年，西元一六六一年）驅逐荷蘭人，開疆闢土，作爲反清復明的根據地以來，歷鄭經至鄭克塽，那股不屈的熾烈民族精神，以及不斷窺伺著大陸，企圖恢復國土的雄心壯志，始終是他們背後的一把匕首，統治全國的瘤和威脅。所以他們沒有一天忘記過這一孤島，認爲倘不早日解決這頑固的反對者，一天也不能高枕無憂。因此他們用盡計謀，靜待攻臺的機會。

鄭成功於平臺的翌年五月逝世的時候，滿清政府忙於整頓國內，當然沒有機會。到了廿年後，永曆卅五年（康熙廿年，西元一六八一年）鄭經病死，英明監國鄭克臧被權臣馮錫範和他的叔叔們用計謀殺，擁立次子鄭克塽繼襲延平王位，清廷的機會就到了。因爲這鄭克塽還是個十二歲的小孩子，不懂政事，事事由馮錫範專政弄權，搞得政治紊亂，人心漸失。況且東南和西南的吳三桂的兒子吳世璠、耿精忠、尚之信等三藩久年的叛亂也已完全平定，在大陸上可算已經沒有後顧之憂。滿清政府眼看時機已經成熟，便派了昔日鄭成功的部將，後來投降他們的施琅爲水師提督，調集水軍樓船，積極進行部署，準備進攻臺灣。

寧靖王眼看政治越搞越糟，文武官員不但沒有昔年的銳氣，而且似乎晏然逸樂，甘願永遠廝守這一個彈丸之地；甚至爭權奪利，不顧大局。內心的憂慮，本來就有口難言；加上忠心耿耿，賢能的東寧總制使陳永華去世。鄭克臧被刺之後，他面龐的皺紋越皺，蒼白的頭髮和美麗的長髯也越白了。現在最明瞭鄭氏情形的勁敵施琅又來負責進行攻臺，這更使他好像當

頭吃了一棒，心裡頭隱隱作痛。他很明白在這種情形之下，萬一這事真的實現，臺灣絕難保守得住的。

「我們退到這地方已經無法再退了，萬一臺灣有什麼變化，我也不願再逃到什麼地方，只有以身殉國！」

他時常對左右的人這樣說。這時候他已經有了堅定的決心。

39

台南大天后宮原係寧靖王的府邸，依稀可見當年的格局。

2 寧靖王是明太祖朱元璋的後裔。他的名叫術桂，字天球，別號一元子。他的哥哥是長陽郡王，父親遼王是明太祖的九世孫。他生得雄偉魁梧，好劍，又寫得一手很好的字，臺南的寺廟區額聯對很多是他寫的。他生性沉默寡言，但一點也不驕傲，對人和藹可親，很會體貼人，所以很受部下的愛戴。他初由朝廷授輔國將軍，崇禎十五年，流寇張獻忠、李自成攻破荊州，他和惠王及藩封宗室避亂到湖中。

到了十七年，北京陷落，崇禎帝壯烈殉國，福王在南京即位，改元弘光。他就和哥哥長陽郡王入朝謁見，還奉命共守浙江的寧海縣。南京的弘光覆亡，長陽王到福建去，他就依附舟山的監國魯王。這時候謠傳長陽王已經去世，他就襲承哥哥的封號。不久鄭芝龍在福建擁立唐王繼承帝位，改元隆武。又聽說哥哥尚在人世，已經襲封遼王。他馬上奏請將長陽王的稱號還給哥哥，可是隆武帝不肯，改封他為寧靖王。這時候大局任憑忠於明朝的人士如何努力，仍無法挽回，清軍繼續南下，寧靖王就這樣輾轉入了廣東。隆武帝在位也只兩年，福州被清軍攻破時，同時殉國。於是粵東的故將李成棟便奉桂王之子在肇慶稱帝，改元永曆。南遷的明朝這樣僅僅五年便換了三位皇帝。寧靖王就在這時候，奉命到鄭成功的軍中督師。到了鄭成功攻取臺灣之後，永曆十八年春天的三月，鄭經才奉他

早期台灣住民的狩獵圖——摹自清朝「番社采風圖」。

渡臺。

臺灣雖是一個開闢未久的地方，可是氣候四季如春，土地肥沃，到處風景如畫，實在是迷人的地方。

寧靖王長年奔波流浪的生活，這才算告了一段落，鬆了一口氣，安定下來。他於是擇定西定坊築造王府永居。他看看諸事就緒，便到處去巡視，只見各地方都是荒埔曠土。他暗想：後日倘要圖謀再起，反攻大陸，恢復故土，現在最要緊的是要養精蓄銳，儲積力量；而首先應該著手的要圖就是把荒埔墾爲良田，從事生產。

他暗自決意要做這種工作，以期增加生產，充裕民食，儲備實力。

　　　　*　　　*　　　*

③ 深秋的時候了，這個地方雖然是亞熱帶臺灣的南部，可是秋意已經很濃厚，氣候已很冷了。這附近一片盡是長著沒膝的長草和樹木的荒埔，完全是個未經開墾的原始處女地帶。秋風把草木吹得颯颯作響，時而還可以看見鹿兒在草叢奔馳。

寧靖王和幾個隨從站在稍高的斜坡上，向四周眺望了一會，他似乎有所感觸，只見他點點頭，便轉過頭問在側的一個年紀稍高的隨從道：

「你知道這一帶叫做甚麼地方？」

「叫竹滬，屬於萬年縣管轄（現在的高雄縣岡山湖內鄉）。」

「面積有多大？土壤好不好？」

「大約有四、五十甲，土壤很好，從事耕作是適合的。」

「水利呢？」

「附近有河川，灌溉也是沒有問題的。」

寧靖王習慣地捋起那美麗的長髯，口露微笑，又點點頭。他似乎是有所意了。

不久，不願受異族統治而跟鄭成功來臺，或應招募來臺的義民，大批湧到了。於是伐木搬石架築居室，開墾荒野，築造圳路引水，圍捕野牛把牠馴服，準備作為耕牛。繁忙的工作開始了。

寧靖王雖然是位皇族，可是他不拘小節，每天都雜在這些人群之中跑來跑去，鼓勵大家。

整年辛苦的開墾之後，果然上天不負苦心人，收穫是豐碩的。寧靖王對工作的佃人除了規定應分的數額以外，自己應得的穀米，留下需要的極少數量，其餘全部都再分給他們。因為他日常生活儉樸，況且鄭氏每年都供給歲祿，他用不著這麼多的穀米，而且無意積蓄成富戶。他以後每年都循例這樣做，所以佃人個個歡天喜地，感恩戴德。

＊　　　＊　　　＊

④ 永曆三十七年夏季的六月，滿弦待發的施琅麾下官兵二萬餘人，大小戰船二百餘艘開始東征，他們的第一目標是澎湖。這時候，明鄭方面所派的澎湖守將是武平侯正總督劉國軒。鄭方的兵力雖然也有二萬多，戰艦一百多艘，但是真正有作戰經驗的不及半數，而且士氣又不振。所以於六月十六日在澎湖海面開始會戰，鄭軍便告慘敗，全軍覆沒，主將劉國軒在亂軍中乘一小舟逃回臺灣。

澎湖的喪失，對鄭方的打擊是很大的；人心惶惶，成了風聲鶴唳之勢。本來已經沒有戰意的鄭方經過一番討論之後，便

決定投降，並以「延平王佩招討大將軍印臣鄭克塽」的名義正式修進降表。

寧靖王對這一事本來早已料到，心裡頭對此事要怎樣處理，也早已有所決定。當他聽到決定投降的消息時，不覺地喟然長嘆一聲道

「果然不出我的所料！」

他於是便開始依照原定的計劃進行善後事宜：將所有的產業，全部分賞給耕作的佃戶，同時召集全部家人們說：

「我不德，多年來顛沛海外，竭盡心力，原本是希望能夠恢復國土；再不然也能夠安渡殘年以了此生，也好見先王先帝於地下。但是事與志違，現在大勢已去，我是明朝的後裔，義不可辱，不日或將要和你們長別了……。」

他說到這裡，喉嚨一哽，泣不成聲，淚珠奪眶而出。全家人都感動得掩面啜泣起來。一場長久的沉默之後，他拭了老淚，又繼續說道：

「我已經把所有的財產都一一分配給你們，好待我死後，你們可以藉這一點點的錢維持一個時候，各自去奔走前程……。」

這時候，突然有個中年的婦女站起來說：

「殿下，你的心情我們很明白，我也是明朝後裔，我也不願忍辱求生，我願追隨殿下全節……。」

寧靖王抬頭一看，原來是故監國魯王女兒。她本來是嫁給南安儒士鄭哲飛，生有一男三女。哲飛死後同老姑及子女寄居父家，父親死後，才來投奔寧靖王的。他連忙搖頭答道：

「不行，不行，妳死後，老姑和幼子要叫誰來奉養？妳要活下去才行……。」

她被這至情至理的話一提醒，似乎也有所悟，連忙坐下去。

寧靖王於是把所有的後事，逐一交代清楚之後，回頭看看身旁的袁氏、王氏、秀姑等幾位妾侍說道：

「妳們年紀都還很輕，一一都有妥當安置，好在此後能夠維持生活。」

可是令人感到意外。她們一聽到這話，臉色變得很嚴肅，異口同聲的答道：

「殿下此話差了，太看不起我們了；殿下既然要全節，身殉宗社，我們豈甘願失身，忍辱求生？王爺生，我們就同王爺生，王爺死，我們也同王爺死，請先賜尺帛，好讓我們先一步在地下等待殿下。」

大家都給她們的這幾句話感動得暫時不作聲，沉默了一會，寧靖王以毅然的語調答道：

「好，這樣也好。」

到了六月二十六日，她們和侍女荷姐、梅姐，正式戴冠插笄穿著正服，同時縊死。寧靖王眼看這個壯烈的情形，心裡好像刀割一般，悲痛萬分。於是在壁上大書曰：

今台南五妃廟即五妃身殉後合葬的墓園。

「自壬午流賊陷荊州，攜家南下，甲申避亂閩海，總爲幾莖頭髮，保全遺體。遠潛外國，今四

十餘年，已六十六歲。時逢大難，全髮冠裳而殊，不負高皇，不負父母。生事畢矣，無愧無怍。」（文中「幾莖頭髮」的意思是漢人原本留全髮，到滿清入關才剃去一部份。）

次日，工役依照命令扛棺柩來放在王府的一個角落。寧靖王一見只點點頭，說聲：「未時。」便徐步入室。他從容地加冠，穿上四團龍袍，束玉帶，佩印綬，然後將寧靖王封印送交特地來看他的鄭克塽，和劉國軒等文武官員道別；才拜辭天地祖宗，接受敬慕他的耆士老幼的拜別，並以所有的家財相贈。這些儀式完畢，他招請所有的人入預先備好的宴席。宴畢，他又寫了一首絕命詞曰：

「艱辛避海外，總爲幾莖髮，於今事畢矣，祖宗應容納。」

他寫好，將布帛結在樑上，對大家說道：

「我去了！」

然後投環自盡。氣絕後，大家把他扶下，顏色還如生前一樣，一點也不變。這時候，忽然天空烏雲滿佈；一會兒雷電交加，大雨傾注下來，好不驚人。

十天後，寧靖王的遺體運到萬年縣竹滬，和元妃羅氏合葬。袁氏、秀姑、梅姐、荷姐則合葬於桂子山（即臺南市大南門外仁和里魁斗山，今之東區健康路五妃里）。普通稱這墳墓爲五妃墓。

後人崇敬寧靖王和五妃的義烈，分別在那兩個地方建有寧靖王和五妃廟，供後人永遠祭祀。

五妃廟位置圖

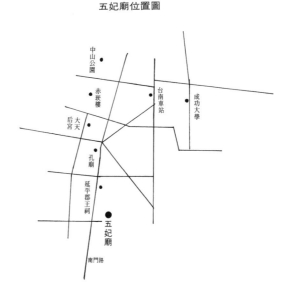

孝子尋母記

1 這地方雖然離開海濱稍遠，可是到了黎明前後的時候，遠遠地從海面上吹來海風，不但是涼爽，而且已令人感到寒意了。當然，中秋節已過了好幾天，時令季節也該是這樣的時候了。

明燦今天很早就醒過來，不過他看見爸媽還在睡，不敢作聲，眼巴巴望著黑漆漆的四周；好不容易等到窗子的隙縫那邊東方的天空，翻起魚肚白，房裡也藉著透進來的微弱光線，漸漸能夠辨別得東西的時候，他再也不能等，悄悄地爬起身來，坐在古舊的床上，動也不敢動，呆望著破舊窗子外隙縫，逐漸發亮；靜聽雄雞的長鳴。一會兒，他的母親翻轉了身過來，無意識地伸出手，要來摸他，大概是覺著黎明前的涼意，要給他蓋被吧；可是摸不到明燦，她抬起了頭，睜開了惺忪的兩眼，一見明燦呆坐在那裡，似乎吃了一驚，抑住著聲音問：

「阿燦，你怎麼不睡呀！」

「媽，白米飯！」明燦含有喜悅懇求意的這句話脫口而出。

「白米飯？」她初時不解其意，但是一下子恍然有所悟似的，連忙說：「是的，是的，中午做忌辰，媽要炊白米飯給阿燦吃。」

明燦的爸爸，大概是被他母子倆吵醒，也坐起身來，摸摸明燦的頭，慈祥地說：「好的，等一下，媽媽要炊白米飯給你吃，你要乖乖，不要淘氣才行。」

天色已經大亮，明燦的媽媽便帶了他到廚房去燒飯。明燦的爸爸潄洗完畢，整整衣服頭髮，便在正廳上父親的牌位前上了香，然後去餵豬牛雞鴨等牲口，準備到田裏去工作。

這個地方是福建泉州府南安縣，一個小小的港口，叫做安海，大多數的居民都是靠海為生，或討漁或從事航海貿易的生

清朝時期往
來福建沿海
的戎克船。

意，從事農稼的不多。明燦的父親就是這不多的農戶之一，他的家離海較遠，他的爸爸是自祖上以來，就靠著幾畝薄田耕作，利用農閒織補些漁網來維持生活。他的家現在只有他和父母三個人，家境雖然不算富裕，卻也勉強可以維持得過去。況且明燦很伶俐乖巧，父母很疼愛他，所以一家常是和氣融融，十分快樂。

這地方的土地磽瘠，米穀的生產很少，居民日常是以蕃薯或蕃薯簽當主食物，煮蕃薯湯，炊蕃薯簽當飯食；經濟情形比較好的人家，最多也祇是摻和些米穀，煮蕃薯粥，炊蕃薯簽飯，或蕃薯飯；除非逢年過節是不吃白米飯，所以吃白米飯在這一帶的居民生活中，算是一種很高貴的享受。

明燦的父親叫蕭秀，母親叫珠鳳。今天是蕭秀父親的忌辰。昨天珠鳳告訴明燦說，今天要炊白米飯給他吃。明燦歡喜得整夜都睡不著，眼巴巴等到天剛亮，就爬起身來，把他媽媽嚇了一跳。

中午前，蕭秀提前回家，珠鳳殺了一隻雞，忙了半天，好不容易才把祭品弄好。於是在祖父牌位前排好，點上了紅蠟燭，父母子三人隆重地挨次上了香，酒三獻後，燒了銀錢、奠酒，才算完成了祭拜。

吃飯的時候，珠鳳首先給明燦盛上了一碗雪白的飯，挾上雞肉和幾種菜色；可是明燦特別喜歡這一年只有幾度的白米飯，他好像在欣賞它的味道似的，一口口慢慢地細嚼，然後才吞下去。父親特別注意他的吃法，看了一會，不覺地笑了起來，說：

「阿燦這麼喜歡白米飯，爸爸帶你到每天可以吃白米飯的地方去，好嗎？」

「好，爸爸那是甚麼地方？」

「臺灣！」

「爸爸一定要帶阿燦去呀。」

「好好，阿燦要乖乖聽話，爸爸就帶你去。」珠鳳也不覺得噗嗤笑了起來，插嘴說。

＊　　＊　　＊

2 這時候是明末清初的動亂時代。明朝到了崇禎一代，朝政紊亂，權臣跋扈，連年天災匪亂接踵而至，弄得民不聊生，國勢危殆。北方的滿清當時很強盛，就趁著李自成、張獻忠之亂，在漢奸吳三桂和洪承疇的引導下入關，轉瞬間便佔領了北方半壁河山。崇禎帝就在滿清軍隊攻佔北京時，迫得縊死煤山。這一年五月，弘光帝在南京繼承明朝的帝統，可是政治也沒有搞得好，沒有幾個月，南京便被清軍攻破，弘光帝也被殺死。

廈門、金門與鹿耳門相關位置圖

49

　　弘光帝敗亡後，隆武帝便在黃道周、鄭芝龍的支持下，在福建福州登位。後來黃道周殉節，鄭芝龍在滿清的甘言蜜語引誘下，進行交涉，已有歸順滿清之意，所以他眼巴巴看隆武帝臨危，也按兵不動，故意不肯去救援，因而沒有多久，隆武帝遂在福州殉難。芝龍的長子成功，年紀雖少，忠心耿耿，他對父親心懷貳志早已不滿，曾再三苦諫過，但芝龍那裡肯聽，不久便真的投奔清軍北上。而當清軍南下時，成功的母親在故鄉，也因為不願受辱而自盡。成功遭這雙重的大變故，內心悲憤，無可言喻，於是毅然決然地負起滅清扶明的責任，聚集同志，招兵買馬，揭起「殺父報國」的義旗，以廈門、金門為根據地，縱橫海上，經常襲擊沿海各地，輒予清軍重創，逐漸成為滿清政府的心腹之患。

　　安海是在前年清軍南下的時候淪陷的，現在已經兩年多了。

　　這一天下午，蕭秀到安海街上，買了一點油鹽等類的日常用品，走出了店舖不久，忽然下起雨來，他大踏著步，冒雨趕著回家，來到轉彎角的一間泡茶店，裏面有人在叫他，回頭一

看，原來是族人蕭長賢在舉手打招呼，他就順水推舟，跑進去避雨。剛坐下，長賢給他倒上了一杯熱茶遞過來，他連忙雙手去接。這時候這店內已是好幾桌有人，長賢同坐的兩人，蕭秀都認得：一個叫紀德旺，一個叫李迺榮，都是同村鄰近的人。他們看見蕭秀喝著茶，又繼續談論著剛才的話。原來他們也是在談鄭成功的事。這些年頭閩南一帶擾攘不寧，居民最關心的便是鄭成功的軍事行動；因為鄭成功的根據地是金、廈兩島，活動的地點是這閩南一帶的沿岸和海上，所以成功的一舉一動對他們都是戚戚相關的。李迺榮似乎在談著永曆六年鄭成功親自率兵由江東攻入長泰，在江東橋一役大破清閩浙總督陳錦大軍的事：

「鄭成功的年紀雖然還很輕，可是真要得，他把陳錦的大軍打得落花流水。陳錦想也想不到吃這小伙子的大虧，退到鳳山尾安營，又慚愧又氣憤，越想越氣，無處發洩。有一天，因為飯食的事，竟把心腹的僕人庫成棟和李進忠鞭打起來。這兩個人懷恨在心，又聽說鄭成功懸賞要陳錦的首級，他們居然昧盡良心，乘機把陳錦刺殺，斬下頭顱來向鄭成功討賞。鄭成功聽說他倆是陳錦的心腹隨從，勃然變色，厲聲喝道：

『你們這殺主人的狗奴才，推出去斬！』

他們驚得連忙叩頭求饒，可是成功沒有寬赦他們，還罵道：

『我雖然懸賞買陳錦的頭，可是你既然是他的心腹隨從，他有甚麼不對，也該顧念到主僕的情誼才是，你們倒反忍心下毒手，殺主求財，這樣忘恩背義，喪盡天良的東西，我不殺你，留你何用！』

成功斬殺了成棟、進忠後，便派人將他倆應得的賞銀，分送給他倆的家眷。鄭成功實在了不起！」

50

李迺榮好像在講故事一樣，繪聲繪色，講到精彩處竟指手畫腳起來。長賢連忙搖搖手低著聲音說道：

「不要高聲，給滿仔（滿人，或滿人的官吏、軍人之意）聽見不是玩的。」

「鄭成功把漳州圍攻得那麼厲害，聽說城裡有軍民幾十萬人餓死。平和、詔安、南靖等漳州府屬各縣都已經在鄭軍的手裏了，你說我們這泉州會怎樣？」紀德旺插嘴說。

「遲早總會來吧……。」李迺榮剛說到這裡，「當心！」蕭長賢連忙低聲岔了他的話頭，才望望四周。

不願異族統治，渴望鄭成功軍的反攻，這可以說是人同此心，不過不便說出口而已。況且滿清入關南下之後，要漢人薙髮改裝，到處鬧得雞犬不寧，怨恨只好往肚子裏吞。

恰好雨已經停了，大家就趁機站起來各自散了。

* * *

3 永曆九年（清順治十二年，西元一六五五年）的正月元旦。這年恐怕不只安海，閩南一帶清軍佔領下的地方，都籠罩著濃厚的戰爭氣氛，大家都沒有歡樂的心情，靜悄悄，草草地渡過了大年夜，迎接新年元旦的來臨。

元旦大清早，蕭秀夫婦和明燦在稀疏的爆竹聲中醒過來。明燦一手拿著壓歲錢一手揉著惺忪的睡眼，大概是記起父母昨天教他的話，恭恭敬敬地站著對父母說：

「爸爸，恭喜！媽媽，恭喜！」

蕭秀不覺地笑了起來，整整他的頭髮說：

「恭喜！恭喜！阿燦幾歲了？」

「媽媽說，我今天起多一歲，六歲了。」

神明和祖先的神主牌前，按照老例禮拜後，父母子三人有說有笑。吃過了元旦早晨的素齋，外面的空氣雖是那麼緊張，可是明燦今天卻是新衣裳、新帽、新鞋，全身簇新；他很高興，蹦蹦跳跳，跟父親到鄰近長輩的家裏賀正拜年去了。

自年底來，閩南一帶就盛傳著鄭成功將進攻泉州城；這一事現在雖然還沒有實現，可是空氣仍然很緊張，表面上雖然平靜無事，但顯然這是一種內張外弛的狀態。依照老例，這年尾年頭，軍隊本來也該放假休息，可是這一帶的清軍不但沒有這樣做，而且還加強戒備；駐紮安海的清兵，不斷地來來往往在逡巡。

初二、初三、初四……一天一天安穩地溜過去，到了上元節的前一天——十四日，這小小的安海鎮上突然傳來了驚人的消息，說鄭成功親率了大軍從漳州進軍，不但沿途同安、惠安等地望風迎降，就是安溪、永春等縣也派人去洽請歸附。現在鄭軍已包圍著泉州府城，可是泉州府城的守將韓尙亮堅強抵抗，築壘固守，毫無降意。據說這韓尙亮和鄭成功的投清叛將施琅是刎頸之交。

消息傳來後，鎮上馬上慌張起來，路上的行人驟然增多；往來的人行色匆忙，熟人見面便交頭接耳，大都沒有談幾句就分開；店舖有的索性關起門來，不做買賣；富家大戶大都準備避難，居民大都關起門來靜待變化。民衆並不是怕鄭軍來擾亂，因爲他們深知鄭成功的軍紀嚴明，一向對老百姓是秋毫不犯的，況且這一支軍已漸成驅逐異族統治最大的希望。怕的是駐紮的清軍意見不一致，說不定在敗退或撤退時，混水摸魚，來個洗劫那就糟了。

蕭秀自接獲這個消息之後，就關起門來和明燦玩，有時候也到鄰近去打聽打聽消息。他自前幾年來，每年都替明燦紮了

一個關刀燈，給明燦好在元宵夜玩。今天下午他又出門去打聽消息，一會兒回來，閒著無事，又把關刀燈拿起來糊，這一次是粘上色紙，就告完成。傍晚時候，他在燈身內插上蠟燭，點上火；明燦看著喜歡得跳了起來，搶著要拿。蕭秀說他一個人不能拿，便牽著兒子的手，擎著燈，在屋子裏兜著圈子。

這時候珠鳳已燒好了飯，端上來，準備吃晚飯。她看見他父子這個樣子，不禁笑了起來。可是不一刻又沉下臉，問蕭秀：

「外面的情形怎樣？」

「越來越緊張，各縣都已投降，只有府城還在打，聽說這裡的滿仔有的要降，有的不肯降，說不定會打起來；不過大概是會撤退，行李妳收拾好沒有？」

「萬一打起來就糟糕，又有搶劫了。行李還未收拾。」

父母邊吃飯，邊談著戰事。明燦看爸媽那副緊張的表情，也不敢作聲，只默默地吃著飯。

天色漸漸黑了，忽然聽見較遠的地方，一陣一陣人馬嘈雜的聲音。突然有人接二連三急促地在打著門，還大聲喝著：

「喂，開門，開門！快開！」

蕭秀和珠鳳愕然不約而同放下碗筷，面面相覷。可是門外還在打，還在叫開門。蕭秀下意識地站了起來，走去開門。兩扇門「呀！」一聲開了。只見五、六個清兵兇狠狠地踏進門來，手裡各執著雪亮亮的刀。珠鳳連忙把孩子拉近來，明燦也嚇得抱住媽媽哭起來：

「媽媽，我怕！」

＊　　＊　　＊

4「哇，哇！媽媽！」

明燦仍緊抱住著珠鳳，哭個不停。蕭秀的態度倒很鎮定，一點也不慌張，也沒有害怕的樣子，只望著那些清兵。

「你們這裡有陌生人來過沒有？」

一個似乎是帶隊的這樣問。話是北方的官話，其中一個看蕭秀只呆望著他們，知道他聽不懂官話，便用閩南語複述了一遍。

「沒有。」蕭秀搖搖頭答。

那幾個清兵望望房子內部一下，大概是嗅不出甚麼奇怪的氣息罷，一聲不響，便揚長而去了。

蕭秀看他們拐了彎，在蒼茫的夜色中消逝，這才把門關起來。這時候明燦已經停止哭了，大家一語不發，又默默地吃起飯來。明燦很乖巧，好似覺察到父母的心緒似的，只看看油燈光下額頭發光的父親，望望緩慢地動著筷子的母親，一口一口吃著飯，不敢像往日那樣撒嬌。

第二天是元宵節。這金吾不禁（編註：指古時元宵節開放夜禁）的良宵佳節，小鎮上的居民，和過年一樣，個個都沒有心情去歡度，一切從簡，晚上更沒有例年熱鬧的花燈，趕廟會的人潮更不必說了；街上行人稀疏，冷清清地比平日更加寂寞。這顯然是緊張的空氣，有增無減。

上元過後，這地方還沒有變化，可是流言很多：今天不是傳鄭軍取道陸路，要從泉州分一支軍來打，明天便是傳鄭軍正在思明州（廈門）準備從海路來攻，後天又傳漳州方面的鄭軍已經出發了……。這樣雖然每天風聲鶴唳，但是始終沒有實現，最令人懷疑的是防守這地方的清軍，不但沒有撤退的模樣，而且反有加強戒備的跡象。所以大家都感覺到這小鎮難免要淪為戰場，不但富家大戶漸漸地移到他們認為安全的地方去

避難，有辦法的也一家一家鎖釘了門，或留下老弱的看守人，離開了這小鎮。

蕭秀和珠鳳，自從那一天傍晚，清兵突如其來的光顧以後，每天都提心吊膽，好像驚弓之鳥，注視門外，恐怕他們再來打擾。況且這幾天來風聲日緊，鄰近的人都陸陸續續地離開這地方去避難，他們也覺得自己每天這樣惶惶不安總不是辦法，還是要避避這風頭才行。可是要到那裡去避呢？自己又沒有把握。他知道和自己要好的族叔蕭長賢也有避難的意思，便特地到他的家裡和他商量。

「長賢叔，自從那一天滿仔到我們家裡檢查以後，珠鳳每天坐立不安，所以我想我們也是要避避風頭才行。況且鄭家遲早是會來攻打這地方。……」

「被檢查的也不單是你們一家，滿仔的心裡是怕我們漢人做鄭家的內應。這地方淪為戰場恐怕是難免的，所以我才決定要避開。」

「到甚麼地方避，決定了沒有？」

「決定了，不過你不要外揚才好。」長賢抑低聲音繼續說：「這事你要保密才行。我要到廈門去。……」

「廈門？」蕭秀吃了一驚問。

「是的，聽說那裡不論士農工商，都有很多事情好做，我想趁這個機會換換行業也好。況且那裡是漢人的天下，不必像這裡受滿仔的氣。」

「滿仔禁這裡和廈門的來往，怎樣去呢？」

「我已經和長恭談好，決定用他那隻大漁船，假裝著要到澎湖溝（臺灣海峽）討漁，出了航就溜到那裡去。你阿嬸，長恭的一家，他們也要去。」

「長賢叔，你這隻船要坐幾個人？可以多搭乘幾個人行不？

我想也跟長賢叔去。」

「就是我們一家人和長恭的一家，除了你叔公不去，要留在這裡看家，大小一共是十一人，多你們三個人沒有問題的。不過你要同珠鳳商量妥當才行呀。」

「好，我回去同珠鳳談談，明天答覆長賢叔。」

第二天的早上，蕭秀便來告訴長賢，說他和珠鳳商量的結果，她也表示同意，決定和長賢一起到廈門去。

*　　*　　*

5 第三天的大清早，明燦便被媽媽叫醒起來，他揉著惺忪的兩眼一看，只見爸爸媽媽打扮得和平日不同，忙碌地在收拾東西，而且最奇怪的就是一夜之間，家裡的東西已經被收拾得很乾淨，他直覺到爸爸媽媽一定是要到別地方去，天真地睜大兩眼，東望望西望望，問母親：

「媽媽，我們要去遊玩嗎？」

「是，我們坐船到很遠很遠的地方去玩，爸爸也一起去。」

「阿燦要乖乖，不要調皮，爸爸背你去。」

「好，阿燦要乖乖，聽爸爸媽媽的話。媽媽快給我換衣服，穿鞋子。」

「好，好！」

不一會，收拾妥當，行李大小分為四個。大家吃了早餐，珠鳳給明燦換上衣服鞋子，蕭秀便用扁擔挑起了行李，珠鳳牽著明燦跟在後面，出了門，蕭秀把門反扣加上鎖，然後用木板把它橫釘，這才朝向街上那一方面走去。蕭秀夫婦都滿懷著凄涼的心情，頻頻回顧那自幼生長的老家。明燦緊握著媽媽的手，也跟著不斷地回頭去看。雖然是避難他鄉，可是這一去，

何日才能回來，誰也不敢預料。

　　蕭秀要到海岸是要經過市鎮的。這時候是二月初旬，還是春寒料峭的季節，上空陰霾密佈，自昨天來下的毛毛微雨還沒有停。路有點泥濘不好走，明燦好幾次險些滑倒，可是也顧不得了。本來他們是預定五天後才出發，可是這一兩天來，空氣一天緊似一天，昨天來竟謠傳漳州的鄭軍已開始向這方面進擊，而且泉州方面的鄭軍也有分出一支軍來夾攻的樣子；事實上駐紮本鎮的清軍也大部份開赴前線去，這顯然是在證實這一消息大概不是虛傳。越近街市，行人越多，個個的臉色都很緊張；其中攜妻帶子的不少，有的是用車輛載運行李，當然有的是肩挑跑路，這些人都是要避難的人。

　　「媽，爲甚麼這樣熱鬧，他們要做甚麼？」

　　明燦天真地問，可是珠鳳只拉著他的小手跟著蕭秀走，回裡答：「不要多管，沒有甚麼。」

　　蕭秀要搭乘的漁船是停泊在這內澳的較近灣外的地點。他們好不容易來到約定的地方，只見長賢、長恭兄弟早已先一步來到，看蕭秀夫妻來到，連忙幫他們踏上了跳板下船，安頓行李。這隻船是討外海的大漁船，載十五、六個人是綽有餘裕的。船是由他們父子駕駛。珠鳳坐定下來，看看船上沒有她平常要好的長賢大媳婦，就問長賢的太太說：

　　「長賢嬸，世德嫂怎麼還沒有來呢？」

　　「她到外家，和她老母告辭。」

　　大家談了一會，發現世德的太太還沒有回來，珠鳳因爲世德嫂和她外家也很熟，便對長賢的太太說：

　　「我去看看，順便和春生嬸告辭。」又對蕭秀說：「明燦你看顧一下，我馬上就回來。」

　　她走了不久，突然看見遠遠地，有一隊約莫三、四十人的

清兵，沿著海岸，朝向這邊走來。長賢和長恭一看見，忽然緊張起來，異口同聲說：

「糟糕！檢船隊來了，給他們上船來查，發現我們這批人可不是玩的，這幾天給捉了好多人去，行李充公，人還要吃官司！」

「那怎麼辦？」船上的人嚇得面面相覷，注視著清軍來的那一方面。

「我們快開航！」長賢決然地這樣說。

「珠鳳和世德的老婆怎麼辦？」長恭說。

「那只有讓她們暫時自己去設法，等待我們到那邊，再設法派人來接。為了救大家，這是不得已的。」長賢以長者的身分，做了這樣的決定。

蕭秀聽了這話，好像頭上受了一擊似的，茫茫怔住了。眼看那隊清兵已漸漸近來，監視著這邊，這時候這是為了救大家的緊急措施，他也沒有勇氣去反對，只好服從了。

船的帆本來本已張上，只在等待出發的。於是拉起掛碇上的纜繩，船舵一動，便朝向灣外駛去了。

　　　　＊　　　＊　　　＊

6 明燦初坐上船，甚麼都新奇，況且年紀相若的堂妹也在船上，更加萬分高興，跳來跳去，和他們玩。到了船離岸漸遠，波浪漸大，船的顛簸漸厲害，玩耍也膩了，說馬上就來的媽媽又不回來，他便漸漸焦急起來，一再拉著爸爸問：「媽媽怎麼還不回來？」蕭秀心緒亂如麻，只隨便應聲：「唔，唔！就回來。」岔了過去。

開船之後，大家還緊張地注視著海岸上的清兵，到了船開

到海中，海岸的清兵不見了，而且似乎也沒有哨船追上來。這才鬆了一口氣。長賢於是打破了沉默，對大家說：

「我想我們在這樣的情形下，怎樣也不能打回頭，只有依照原來的計劃到廈門去，你們的意見怎麼樣？」

「是的，我們不能回去，那隊清兵是眼睜睜地注視著我們出航，我們要是回去，不但官司是不能免的，簡直就是自找死路。」長恭這時候也走入船艙，聽完了長賢的話，這樣說。

59

「可是她們兩人要從速設法去接。」蕭秀再也按捺不住心裡的苦痛。這樣插嘴說。

「是的，我們到廈門之後，馬上設法去把她們接過來。」

這時候風浪越來越大。這條大漁船好像大馬路上狂風吹的一片枯葉，任憑它播弄，一高一下。船艙的婦人，已無法坐下，都躺下去，有的開始嘔吐。明燦嚇得拉住父親不肯放，哭叫不停：

「媽媽怎麼不回來呀，媽媽不能來了，我要找媽媽呀！……我要回去找媽媽呀！……」

蕭秀只有說：「媽媽就來，媽媽就來，不要哭。」可是任他怎樣哄騙，平素很聽話的這孩子，再也不聽話了。世德的女孩也扭住父親、祖母，哭著要媽媽，兩個男女孩哭吵成一團。

幸得風浪忽又小了起來，到了下午就恢復了平靜。明燦和世德的女兒，哭鬧到將近中午，大概是疲倦了吧，飯也不吃，就倒在父親的懷裡睡了。

遠遠地望見廈門島的時候，大家知道再也不怕清軍巡哨船來追擊了，緊張的心情才寬鬆一點。廈門、金門的鄭軍，正在大事招納各地來投奔他們的人民，所以所有海道關卡的盤問都很簡單。長賢兄弟很容易地就進入廈門港，上陸去找他們的目的地了。

　　　　　　　＊　　　＊　　　＊

7 船一下了碇，長恭先上岸去通知約好的親戚朋友，佈置安身的地方。大家忙著整備行李好來上陸。明燦在嘈雜的聲音中醒過來，揉著惺忪的兩眼看看船內的人，一會兒，大概又是想起珠鳳來吧，又哭喪著臉，拉扯蕭秀的衣角問：

「爸，媽媽怎麼不回來呢？怎麼還不回來？」

「唔，唔……就回來。」

蕭秀被問得窘了，只好這樣支吾過去，可是明燦並不肯放鬆，纏住他一味要媽媽：

「我要媽媽呀，我要找媽媽呀。」

初是欷歔哭泣，終於又哭叫起來，而且越哭越厲害。這孩子平素很乖巧聽話，可是今天任你怎樣哄，任你怎樣說，他都不聽話了。蕭秀被糾纏得沒有辦法，心緒越亂，只好把他背起來。長賢的太太莊氏看不過去，走過來把他抱過去，拭拭他的眼淚說：

「阿燦是個乖孩子，你不要哭，嬸婆等一下帶你去見你媽媽。」

「嬸婆騙我，我要找媽媽。」

「好好，嬸婆不會騙你。……」

莊氏的話剛說完，世德的女兒也醒來，哭鬧著要媽媽。大家都為著收拾雜物行李忙得不能開交，那裡顧得小孩子的哭。莊氏只好把世德的女兒也拉到身邊，拿出花生糖給他倆吃。哄了一會，好不容易才止住哭聲。

長恭回來時，有幾個親戚朋友也跟著來歡迎兼照料他們；其中有一個叫蕭良誠，也是他們安海蕭姓族人，論輩算是蕭秀的族兄，他一向跟蕭秀很要好，去年就到這思明州來投效鄭

軍，做個中軍；蕭秀決意來這裡避亂，想另闢新出路，他算是個很大的吸引力。大家於是一窩蜂上了陸，男的肩挑行李，女的拿雜物帶小孩子。

這時候已將近黃昏，港內風平浪靜，幾個小孩子對這陌生的地方，一切都覺得新奇，東望西顧，剛才船內的沉悶、驚恐，早已忘得一乾二淨，有說有笑，蹦蹦跳跳，萬分高興。只有離開媽媽的明燦，仍然一點笑容都沒有，只拉著爸爸的衣裳默默地無精打采跟著大家走。

大家到了預定的所在地安頓之後，明燦還時常啼啼哭哭，吵著要找媽媽。大家都說這孩子瘦了好多。

* * *

61

8 廈門改稱思明州是鄭成功的軍隊進駐以後的事。閩南一帶自從鄭芝龍降清北上，隆武帝敗亡之後，抗清復明的陣勢一度四散，幾乎瓦解、潰滅，可是自鄭成功揭起義旗，進據廈門、金門兩島，連續克服附近的漳泉各屬以來，陣勢重振，力量日漸壯大，無疑地已成為浙閩粵沿海地區抗清大本營。幾年來，鄭成功在這思明州，除了加強擴大軍事力量之外，還極力整理內部，建立內政，奉養明朝皇族，優待避難的縉紳，禮賢下士，所以不但遠近豪傑聞風而至，凡是不願受異族統治的義民也紛紛投到這裡來，蕭長賢、蕭秀們祇是千千萬萬人中的一群。思明州顯然已成為反清復明運動的象徵、巨大的燈塔。

大家安頓稍告一段落，長賢和蕭秀便託人到故鄉安海去接珠鳳和世德的妻子，可是這兩地現在是敵對的地方，這並不是容易的事。

　　思明州的鄭氏勢力壯大，各種建設也同時齊頭並進，正在需要人材；因而各種生意也很容易做，一切行業都充滿著朝氣，生氣勃勃。長賢兄弟和蕭秀避難到這地方的時候，原是沒有甚麼堅決的主意，但看了這種情形之後，便決意在這地方作長居之計。長恭有漁船可以重操舊業，長賢和他的兒子世德、世聰做生意，蕭秀則決定暫做點小生意維持父子兩人的生活，等待接珠鳳來到這裡之後，再重新計劃。

　　不久，鄭軍攻克安海，大家歡天喜地，便馬上派世德去接他的妻子和珠鳳；幾天後世德帶他的妻子回來，可是珠鳳卻沒有來。據說那天她搭不上船，和世德的妻子在她的外家住了一兩天，看看形勢，後來看沒有法子到廈門，便回到鄰鄉的外家去了。因為軍事底定未幾，安海離那一鄉頗遠，且路途上時常發生搶劫情事，世德不敢去，只好託人順便去告訴她，叫她設法來這裡團聚。

　　蕭秀和長賢隔鄰而居，他有事外出，或到外面做生意時，便把明燦交託長賢嬸管顧，所以明燦和長賢一家已混得好像自家人一樣熟。幾個月來，沒有媽媽的悲傷，雖然已經沖淡了不少，可是時常想起媽媽來，就要拉住長賢嬸婆和爸爸問東問西。

　　世德帶著他的妻子回來的這一天，恰好蕭秀也在家，他一聽見長賢家的嘈雜聲，且有世德的聲音，知道他回來，連忙帶著明燦過來。只見世德的女孩緊緊抱住母親，母子都無言地在淌著眼淚。明燦眼見這個情景，突然「哇！」一聲，抱住父親哭了。

　　「好，好，不要哭，你媽就回來。」

　　蕭秀知道這是見景傷情，自己心裡雖然很難過，有無限的傷感，也只好按捺下去，這樣安慰孩子。他聽世德說明珠鳳的

十七世紀的
荷蘭船。

情形之後，不覺地嘆了一聲，說只好另行設法去接了。

　　明燦還不停地在哭，大家都以同情的眼光注視這可憐的聰
明孩子；世德的妻子也覺得不好意思，便撇下自己的女孩子，
走過來安慰他說：

　　「阿燦，不要哭，我再去帶你媽媽來。」

　　　　　＊　　　＊　　　＊

9 蕭秀過了幾天便設法託人到安海鄰鄉的珠鳳外家去接，可是回來時答說，她的外家因為鄉下擾亂不寧，已經搬到泉州城去了。不久他探得了泉州的地址，便親自到泉州城，按址去找，可是任他怎樣找都找不到這個地址，沒有辦法，回頭還到安海的老家和鄰鄉去找，可是她和她的外家的下落都不明。他萬分失望，只好悄然回到思明州來。

這時候閩南各地的形勢變化無常，自從鄭成功底定金廈兩島為根據地以後，戰事不斷在變，各地時得時失，人民的顛沛流離更是厲害。安海當然也不能例外，不久它又淪入清軍的手中去了。

蕭秀在這樣的情形之下，費盡心機，設法去探聽珠鳳的消息。一有消息就託人去找覓、去接，可是每次都落了空，最後甚至消息也杳然了。他為了這事弄得心身憔悴，且眼看可愛的孩子孤影悄然，那麼可憐，更是傷心，所以生意無心做，三年後便把生意結束起來，毅然參加反清復明的隊伍，加入鄭軍，當一名哨長去了。

俗語說得好，日月似箭，光陰如梭，歲月是過得很快的，一年又是一年，明燦到了八歲的那一年便進入蒙塾唸書去了。這孩子聰明伶俐，很得老師的疼愛，學業也進步得很快。蕭秀雖然已投身反清復明的陣營，但唯一的希望仍寄託在這兒子的身上，所以眼看兒子的這種情形，心裡也感到幾分的快慰。

鄭成功因力量日漸充實，永曆十二年（清順治十五年）為完成長年的宿望，會兵部右侍郎張煌言的軍隊，大舉北伐，進攻江南想把反清的軍事擴大，積極展開；不料翌年七月七日，中了清將梁化鳳的緩兵之計，不幸敗於南京一役，全軍幾乎覆沒退守金廈。永曆十四年，滿清政府派達素會同李華泰的兵，乘勢進攻金廈，鄭成功雖然在金門灣的海戰，把他們擊潰，獲

得大勝，但南京一役的打擊是很大的。他正在想找出路的時候，忽然臺灣的荷蘭通事何斌從臺灣逃來，建議攻取這海島作為根據地，並獻計說可以從鹿耳門水路進入，直搗普羅文西城。他本來知道臺灣沃野千里，物產豐富，橫絕大海，進攻、退守都很方便，是個霸業之區，況且這地方又是先人之地，所以早就有這個意思，所以經他一說，便決意收復這故土作為來日進取的根據地，隨即下令進行準備。

蕭秀所屬的部隊也奉令參加進攻臺灣。他自接到這個命令之後，心裡頭也歡喜也憂慮；歡喜是或者可以藉此機會建功立業，開闢一個新天地來，因為自己的部隊一向很少參加戰鬥，即如北伐之役，也是留守部隊；憂慮的是從此要和唯一的孩子離開，而且不知甚麼時候才能再會。這幾年來，珠鳳的行蹤一直不明，他也未嘗放棄尋找的念頭，也曾竭盡努力去找過，可是一切都成了泡影。明燦現在已經十歲了，自從來到這思明州以後，這孩子的事都託由長賢嬸照料，長賢嬸也很疼惜這孩子，好像自己的孫子一樣看待，無微不至。現在自己雖然可以放心去努力自己的前途，但想到不知下落的珠鳳，又想到幾年來父子相依為命的生活要告一段落，暫時要離開這生命所寄託的單生子，兩眼眼頭一酸，淚珠便奪眶而出；但回想自己這一次的東征，是為了反清復明的大業建立新基礎的，對自己來說也可以開闢一條新途徑，不覺地精神頓然又為之振奮起來。

出師的前兩天，蕭秀和明燦睡過了甜蜜的一夜，第二天大清早一起身，便叫明燦去向老師請半天假，上午不要上學，一面收拾自己要用的東西，一面把自己要從軍東征，攻取臺灣的事，以及自己的心緒告訴了兒子。

「你已經十一歲了，爸爸不在的期間，要加倍用功讀書。你長賢嬸婆那麼疼惜你，你有甚麼事都可以問她，以後你的事我

都交代她，你要好好聽她的話。」

　　明燦雖然年紀不大，但已懂得世故，他靜靜地聽了父親的話，點點頭答應。蕭秀說完了話，偶然抬起頭看兒子，恰好明燦也在看他，父子兩人不禁黯然淚下。

　　永曆十五年（清順治十五年，西元一六六一年）正月，鄭成功親自率領大軍東征。二月初一日，下令集合全體部隊，舉行祭江大典，即日督率文武官員親軍武衛鎮將等二萬五千人，分乘戰艦數百艘，自料羅彎浩浩蕩蕩出發，首先指向澎湖。澎湖很簡單地一鼓而下，他預料臺灣或有一番苦戰，便又祭禱海嶽誓師，並下令說：

　　「大家不要畏懼紅毛人的火炮，可以遙望我的船首，跟著我的船尾前進。」

　　戰士們站在甲板上，凝望著前頭碧波萬頃，船身一高一低地鼓浪前進，每個人胸中燃起國仇家恨的火花，面部的表情是何等興奮與悲壯。不知是誰先哼出那古曲，眾人不禁和聲高歌：

　　　　怒髮衝冠憑闌處，

　　　　瀟瀟雨歇，

　　　　抬望眼仰天長嘯，

　　　　壯懷激烈。

　　　　…………

＊　　＊　　＊

10　四月一日，鄭軍的船駛抵臺灣外傘頂洲，鄭成功於是依照何斌的獻計，出了荷蘭人意料之外，不從熱蘭遮城進入，而指向鹿耳門開進。這鹿耳門外，本有淺沙數十里，而且

荷蘭人又早已為了預防敵人來攻，在港口沉了很多船隻，把它堵塞起來，所以他們滿以為這裡任何的船隻都無法進入，萬無一失。這時候恰巧潮水突然大漲，鄭軍便趁這個機會，由鄭成功的座船領先，而熟識這一帶地形的何斌也和他同船帶路，好來指揮。於是艦隊從預先探好而畫有地圖的水道前進；忽右忽左，迂迴曲折，很順利地進入港內。這條水道距荷蘭人據守的熱蘭遮城很近。他們的大砲無法發揮威力；只好眼巴巴看著鄭軍的艦船一艘又一艘開進來。蕭秀的船是緊接著鄭成功的船。不久，艦船隊繼續溯上臺江，在普羅岷遮城（赤崁城）附近的禾木港，鄭成功便揮著大軍，以排山倒海之勢開始登陸。這時候荷蘭人雖然有小規模的抵抗，但馬上都被鎮壓下去。鄭軍於是迅速地截斷了熱蘭遮城和普羅岷遮城的交通，還乘勢攻陷普羅岷遮城。蕭秀勇猛異常，首先殺入城內去。

67

　　普羅岷遮城佔領之後，接著是掃蕩和安頓人民的工作也告完成。這地方的居民大多數都是漢人。他們幾十年來，備受荷蘭人的壓迫和搾取，恨荷蘭人入骨，苦無機會驅逐他們。鄭成功要攻臺的消息，他們早就得到，個個都翹首待望這一天早日來臨。現在期待居然實現，他們歡天喜地，真是「簞食壺漿」歡迎王師來。

　　蕭秀所屬的部隊旋又奉調參加熱蘭遮城的圍城戰。這一座城是由荷蘭的臺灣太守揆一親自把守，他們雖然只有二千多名的兵，可是武器銳利，城池堅固。他們知道自己不是敵手，自始就不敢迎戰，關閉城門固守，只時常從城上開槍，作騷擾性的抵抗。

　　鄭成功好幾次致書給揆一，勸告投降，並說明臺灣本是中國的土地，現在自己既然來索取，自然應當歸還，「物歸原主」。可是他們對勸告一切都充耳不聞，不加理睬，並且拒絕投

降。鄭成功爲避免犧牲，減少破壞，故意不採取硬攻的方式，只把熱蘭遮城團團包圍，等待這無援的孤城不戰而自屈服。

　　一個月、二個月……已經過了五個月，守孤城的臺灣太守揆一只在等待爪哇的巴達維亞總督派兵來救援，所以幾個月來除了小接觸之外，根本沒有較大的戰鬥。

　　有一天，東方的天空剛剛黎明，蕭秀帶領著一隊兵正在包

十七世紀台江內海示意圖——摹自荷蘭古圖。

普羅岷
（赤崁

台江內海

台江水道

熱蘭遮城
（安平古堡）

圍線逡巡警戒。只見迷茫的晨霧中，遠遠的熱蘭遮城城上縋下來了三個東西，那顯然是三個人；蕭秀直覺這是偷出城求救援的，他注視了一會，看見那三個人飛也似地跑向一片樹林裏，他便下令：

「我們追去，把那三個活捉，不要殺掉……。」

他說罷，便首先朝向那一方向追去。

當這一小隊兵距樹林不遠的地方，突然聽見：

砰砰砰砰！……

一陣緊密的槍聲響起，接著：

「噯唷！」蕭秀慘叫一聲倒下去了。

＊　　　＊　　　＊

11 清晨的這陣槍聲驚醒了鄭軍，於是大隊的人馬，便馳來救援，對城上還擊，迅速地把倒臥在血泊中的蕭秀救回去。那三個企圖偷出城的荷蘭人雖然捉到，但蕭秀卻因此壯烈地殉國了。

那位跟他要好的族兄——同在從軍的中軍蕭良誠，獲得這個消息之後，便馬上趕來料理他的身後事，同時設法通知思明州的蕭長賢。

初冬的一個風和日暖的下午，蕭長賢與他的太太莊氏正和一位客人聊天，話題又從思明州最近發生的事，談到臺灣的戰事，蕭長賢以憤慨的口吻說：

「聽說紅毛城還未破。國姓爺這一次是要建立一個新的根據

地，爲甚麼又那麼寬宏大量呢？圍了五個多月的城，紅毛番鬼既然不出來投降，他們早已是孤立無援的甕中鱉，只要狠狠地攻打幾次，那怕它不破？」

「破城是遲早的問題，國姓爺不急速去攻它一定有他的用意，有他的計策。」

「不過我總不以爲然，古語說兵貴神速。……」

這個問題大概現在已成爲這反清復明根據地思明州的居民的話題。他們正在談得興奮的時候，忽然走進了一個兵丁來，倉倉慌慌地問道：

「這裡是蕭長賢先生的府上嗎？」

「是的，請坐。有甚麼貴事？」長賢連忙站起來打招呼。

「攻臺灣軍的蕭良誠有封信要給您。」那個兵丁從軍囊裡拿出一封信，遞給長賢，又急忙忙地走了。

長賢接過信封，看見燒了一個角，不覺地愣住了。原來信封燒角是表示這封信是報噩耗的凶信。莊氏和那位客人大概也看見這封不尋常的信封，也圍攏過來。長賢連忙把信拆開一看，原來是蕭良誠報蕭秀陣亡的消息，把中槍前後的情形和他怎樣料理喪事寫得很詳細。莊氏不識字，等不得他看完，急促地問道：

「甚麼事呢？」

「秀仔中了紅毛番的槍陣亡了……」長賢只這麼說一句，便又繼續看下去。

「秀仔陣亡？……」莊氏也爲這突如其來的凶耗，驚駭得再也說不出話來。

長賢看完信，和莊氏都軟綿綿地坐下去，半晌一語不發，垂頭淌著眼淚。這幾年來，他們雖然是堂叔姪，其實情同父子，所以難怪他夫妻這樣悲傷。明燦自從父親出征以後，便搬

進長賢家同住，受莊氏照料；他進蒙塾幾年來，因爲聰明乖巧，又很認眞讀書，所以不但備受塾師的愛惜，且和同學與長賢的家人也相處得很好，不！可以說他已成爲他們家眷的一員。

這一天他放學回來，長賢夫婦故意裝著鎭定的態度，把蕭良誠來信的內容講給他聽。這孩子靜靜地聽著話，從表情看，這青天的霹靂，他顯然是受了很大的打擊，可是他卻只用衣袖掩面啜泣；他已懂得人情世故，知道這裡不是自己的家，不敢放肆號啕痛哭。

莊氏當天就給他帶上了孝，她看他孤影子然，本來就把他當做自己骨肉的孤兒看待，這時候越覺得可憐，而且也越疼惜他了。

父親壯烈殉國，母親又消息杳然的明燦，現在已是天涯海角沒有肉親的孤兒。

*　　*　　*

12 熱蘭遮城被鄭成功圍困了九個多月，不但糧食漸成問題，安平的水源也被斷絕了。荷蘭兵的死亡漸多；荷蘭長官揆一眼看，巴達維亞還不派援兵來，知道無法支持，抵抗也無益，遂出而求降。於是雙方訂立了降約八大條款，並在這一年的十二月初三日，所有荷蘭人的軍官民全部都撤離了臺灣，結束了三十八年間的竊據統治。

鄭成功既收復臺澎，於是把全部的制度從新部署佈置，將臺灣改名爲東都，熱遮蘭城（安平城）改爲安平鎮，亦名王城；普羅文西城（赤崁城）改爲承天府，並設置天興、萬年兩縣，澎湖則另設安撫司，重兵戍守。政治軍事的部署大略告

鄭成功治台時期行政區域

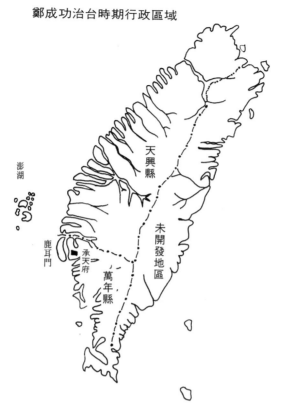

澎湖

天興縣

未開發地區

鹿耳門

承天府

萬年縣

參考《台灣開發史》(程大學編著：眾文圖書出版，1981 年 6 月) 重繪。

定，各鎮將的眷屬也都接著紛紛遷到臺灣來。

當鄭成功進臺灣的時候，滿清政府採納了降將黃梧建議的堅壁清野的方法，想來圍困成功的海師；下令沿海各地三十里的居民，上自遼東，下至廣東，一律須遷入內地。禁止漁舟商船等在海上往來，還派兵在沿海一帶鎮守，違反者處斬。因此各地居民流離失所非常可憐。鄭成功接獲這個消息，立即派人到閩粵沿海各地，招致那些民眾來臺安置。同時制訂律法，設置官職，開辦學校，且建立行館，以招待前來臺灣的明朝宗室遺老。

臺灣的這種建設聲浪早傳到思明州來，很多人都想到這新天地去開基創業，大大地幹一番。長賢父子也有這個念頭，不過情形還不大明瞭，不敢貿然地輕易嘗試。到了翌年五月初八日，鄭成功病逝臺灣，嗣王鄭經整軍過臺灣以後，這種空氣更加濃厚，長賢父子就決意到臺灣去。他倆為期慎重，就先寫了封信去臺灣問蕭良誠，到底做甚麼事情好？不多久良誠的覆信來說，這地方重新歸入中國的版圖，處處需要人才，樣樣的事業都好做，尤其是土地肥沃，地廣人稀，開發事業都為有望。

永曆十六年初冬的一天，長賢一家已把廈門的居處摒擋清楚，個個都懷抱著一種新的希望，踏上了一條大便船，離開了廈門港，朝向東方的海上啓程，明燦當然也是同道。恰好一帆風順，第二天按照預定，船進入安平港後，繼續溯上臺江，在赤嵌城附近下了碇，開始登岸。

岸上早有蕭良誠和幾個親戚朋友在迎迓。一家人於是到西定坊預先備好的房子安頓下來。過了一夜，第二天的早上，長賢夫妻便帶了明燦，由蕭良誠嚮導，到赤嵌城外去祭蕭秀的新墳。

這裡是離開城外不遠的荒郊，嚴冬的寒風吹得草木索索作響，而且陰雲密佈，令人感覺悒鬱。良誠在纍纍的新墳中，走到一個較大的新墓前停了腳。明燦看到新的墓碑，早已哽咽起來，淚如泉水般湧出。等到掃好了墓，輪到他上香，他雙腳跪在墓前，放聲大哭起來：

「爸，爸，……」

他這樣盡情痛哭，是過去沒有的事；長賢夫婦和良誠都站在旁邊陪著淌眼淚。

* * *

13 「我們的那諸羅山是個蠻荒地方，世德、世聰的孩子還小沒有問題，現在成為問題的只有明燦的讀書，這個應該想個妥善的辦法才行。」

「是呀，那是偏僻的蠻荒地，好私塾當然沒有，恐怕壞的也難找。不過這孩子聰明伶俐，年紀小又羸弱，叫他胼手胝足拿鋤頭來做開墾工作，既不適合也太可惜，真是傷腦筋……。」

長賢夫婦這樣在議論著。

　　長賢一家和明燦，自去年初冬離開了思明州的家，搬到東寧（即臺灣，鄭成功復臺初時改爲東都，鄭經承繼後又改稱爲東寧）的承天府（即現在的臺南市）暫住。這時候不但明鄭的文武官員和眷屬們紛紛遷徙臺灣，就是老百姓也因爲這地方地廣人稀，開墾荒地最爲有利，而且不願異族統治的精神又潛在人心，所以競相渡臺，形成一股開發的熱潮，因此，耕地也就日漸擴大了。長賢的原意也是在開墾，他經過了幾個月的籌備，已經決定和一批同鄉由承天府北上到諸羅山社去開墾。

　　農曆正月將近尾聲的下旬某一天，長賢夫婦因準備已告就緒，大概在這三兩個月內就可以搬到那裡著手開墾；他倆怎樣想，明燦都不適合農耕，所以又提起這個問題來。

　　「那麼這樣，你想好不好？把他寄在德源哥那裡，讓他繼續讀書。聽說這附近有一位張先生，是新近由泉州逃來的，才學不錯，預定下個月招募學生開塾。地點距離不遠，很方便。」

　　「好，這樣也好。」

　　長賢正在這樣答話的時候，只見明燦剛好從外面走進門來，他就把他叫住問：「明燦，我們要到諸羅山開墾，你是知道的，那個地方是個荒地，沒有書塾，好讓你讀書；你嬸婆說你身體不大好，到那邊要做粗重工作，瘴疫又多，你不大適合，所以想留你在這地方繼續讀書，寄在德源哥那裡，比較方便……。」

　　「叔公，我不想再讀書了，叔公嬸婆既然說我不適合到荒地去，叔公不如給我找一個行號，我去當學徒，學生意去。」

　　「嗯！」

　　長賢夫婦都這樣哼了一聲，停了一會兒不說話，似乎在沉思。

　　「不讀書不是太可惜嗎？」

長賢經過了好久才這樣問。

「這裡很難找到好老師，我也不想將來應考做官，最好是學點生意做。」

明燦年紀雖然只有十三歲，可是已經懂得世事，知道現在自己的環境是要這樣做，所以他答得很乾脆俐落。

長賢夫婦經過了一番的商量，認為明燦的希望是很好的辦法，於是在搬到諸羅山社從事開墾的前幾天，就將他送到一間百貨行去當學徒了。

＊　　＊　　＊

14　明燦去當學徒的那間舖子，是一間賣南北貨的百貨行。店舖的地點是在這抗清東南根據地的首都熱鬧街市，生意雖然很好，但夥計卻沒有幾個，所以店中的人終日都很忙。

明燦本來很聰明，而且下意識地明白自己的處境，所以凡事都很肯刻苦耐心學習，人家不肯做的，他甚麼事都自動去做，甚至笨重做不來的，也都強著要去做；終日天亮起身一直忙到天黑點上燈睡覺才肯罷手。所以不但老闆同事們個個都喜歡他，就是顧客們也都在稱讚這小夥計很好。

這間百貨店的店號叫「榮順」，店東姓吳，名叫明坤，生有一男一女，女的今年十一，男的只有七歲。家眷都住在隔一個深井，緊接著店舖的後進，夥計們的三餐都要到這後進去吃，因此家眷和夥計都好像一家人一樣；況且這吳明坤原籍是晉江，和明燦彼此都是三邑人，長賢臨走又特別央託他照料，所以他對這舉目沒有肉親的孤兒也暗中特別看待。

吳明坤是個循規蹈矩，老實的商人，太太陳氏又很賢慧，善理家，所以生意、家庭都很順利，一帆風順。因為他們的家

庭很和氣，待人又不錯，明燦做小夥計也覺得很溫暖，好像在自己的家裡一樣，也和在長賢的家一樣，自己是一個沒有依靠的孤兒，暫時都忘記了。

歲月過得很快，他漸漸地成了「榮順」的重要人物。他年紀漸大，知道自己雖有情同祖父母的堂叔祖父和叔祖母，但父親已經殉國陣亡，母親又失蹤不知去向，而且又沒有同胞的兄弟姊妹，是個無依無靠的孤兒；尤其是看見老闆一家和睦，老闆娘陳氏疼惜幼子的情形，心裡萬分的欣羨，而且想到依稀還在記憶裡的事：一家三人何等甜蜜快樂，每逢元宵節父親一定要為他糊花燈……等，心裡便隱隱作痛。

父親已經陣亡，母親珠鳳自從在逃難的那一天，上船後要去找世德嬸，一別就沒有見過，這不知不覺之間已經七、八年了，他覺得母親那美麗的臉龐，一直在面前；他又直覺她沒有死，一定還會在這世界上的某一個角落，正在等候這唯一的獨生子去找她。想到這裡覺得似乎又湧出一線的希望來。

有一天，他照常忙到很晚才睡覺。朦朧之間，覺得自己是一個小孩子，在外面和小朋友玩得膩了，跑回家跟媽媽要東西吃。媽媽拿出一塊綠豆糕給他，忽然從外面跑進一條不認識的赤狗，直望著他，他有點害怕，連忙偎著珠鳳的懷裡，突然那條赤狗霍地跳起來，把他手裡的綠豆糕搶過去，他嚇得緊緊地摟住媽媽，「哇！」一聲哭起來。

他從夢中醒過來，只見屋頂的天窗已經發白了。

*　　　*　　　*

15 長賢一家和同鄉們開墾的這一帶是屬於平埔族諸羅山社（現在的嘉義）的地界，這批拓荒者就是在他們附近的土

地開墾耕作。這地方遠望中央山脈，有山有水，玉山遠遠在望，地土肥沃，風光又好，原是有為的地方。幾年來，由這批安海同鄉披荊斬棘，開荒闢土，慘淡經營，本是一片荒埔，現在多已成了良田，而且墾拓區域還日漸擴展中。

明燦每年都趁著年節的休假，到諸羅去看望長賢夫婦一兩趟，他每次回到這已成了他的老家的家庭，看到這些唯一的親人，都要感到安慰；尤其是年紀漸老的莊氏對他一如昔日，一見面就問長問短，不斷鼓勵他，臨別還為他準備這個，準備那個，愛護備至，使他感到無限的溫暖。

這一年的端午節之前，長賢託一個人順便來對他說，莊氏現在病臥在床，希望見他一面，能夠的話最好是趁這端午節的假期，回去看看她。明燦本來在這端午節是不想到諸羅去的。一聽見這吩咐，馬上向吳老闆請延長假期；端午節上午忙得不可開交的生意好不容易做完，中午喝了一點雄黃酒，吃了些棕子和豐盛的菜餚，就算過了這個佳節，來不及洗菖蒲湯，便匆匆地坐上了剛好要到諸羅的牛車北上。

時令雖然只是端午節前後，但南臺灣已是盛夏炎暑，太陽如燒，熱氣迫人，牛車上雖然張著布篷，可是額頭上依然不斷的冒著汗珠。這牛車本是載貨車，所以人是和貨物坐在一起，一路上顛顛簸簸地走；足足搖擺了一整天，好不容易才到達目的地。

這地方現在已經成了一個村落，因為這些墾戶姓蕭的居多，不知是誰叫起，現在大家都把它稱為「蕭厝莊」。明燦跳下牛車，走入這村落時，只見家家戶戶端午節都不好好地休息，正在收刈早稻，長賢家的門前大埕，一家大小都正忙著打穀曬穀。世德、世聰的孩子們遠遠地看見他回來，就一哄走近來，阿兄長阿兄短問個不休。

他看見莊氏沒有跟大家在工作，知道是在房裏病臥，一放下包袱，便三步做二步走進她的房間去，只見她在這大暑天還蓋著被躺臥著。她面如黃紙，樣子是十分衰弱，閉合著兩眼。他輕步走近床前蹲下去，靜靜地凝視著她。一會兒，他看見她微微地動著嘴巴和兩眼，這才輕聲地問道：

「嬸婆，我回來了，阿燦回來了。」

她聽見這聲音，才慢慢地睜開了眼，看一看他，點點頭，口露微笑，有氣無力地說：

「嗯，你回來了，我病得太厲害了。」

「嬸婆不要掛心，慢慢醫治，就會好的。」

「恐怕沒有希望了。」她搖搖頭，瞟他一眼，便又合上了兩眼，她眼眶裏顯然是含著眼淚。

「嬸婆，不會那樣，決不會那樣，妳放心慢慢靜養就會好。」明燦按捺住心裏的酸痛，強忍住眼淚不使它流下。

「阿燦，你年紀已經漸漸大了，我以後恐怕不能看顧你，你自己要好好自愛珍重，建家立業。吳老闆的那個女孩生得不錯，將來能夠的話，把她娶來也好……你母親生死不明，將來也該設法去查……。」

她說到這裏，有點哽咽，話也就此斷了。

據長賢說莊氏本來是在半年前患了瘧疾，病有時好，有時再發，到了一個多月前再發，病況一直壞下去，尤其十多天來，似乎又併發了別的病，越發沉重起來，據醫生說，似乎沒有甚麼希望的樣子。

明燦聽了這些話，看她病得那麼沉重，決心等到莊氏有個究竟才回店。他每天代替長賢的家人煎藥，進食進茶湯，服侍莊氏。可是她的病不但沒有好轉，越來越壞，到了第八天竟然與世長辭了。

明燦覺得好像支持著自己精神的中柱崩潰下去一樣，沉入悲哀的深淵，茫然地不知所措。

喪事料理完畢的第二天，他於是告辭了長賢一家人，又乘了南下的牛車向承天府出發。

美麗的玉山和接連的峰巒，在左邊田野的遙遠的天邊，一座一座浮現在眼簾裏，可是他無心去欣賞這幅美景，只呆呆地望著。幼年時候離母，少年時期和父親死別，都因爲年幼不懂事，哭了幾天就好了；可是現在已懂得人情世故，他精神上這位唯一的親人和他永別，確是一種無可言喻的大打擊。

他這時候最切實感到自己是個孤苦伶仃的可憐人！

16 歲月過得眞快，轉瞬又是三個年頭了。明燦已是二十歲的青年，長得一表人材，誰一眼之下，就知道是個好青年。

他自從莊氏亡故後，心情上益加寂寞，莊氏臨危的時候，對他說的話時常在耳邊響著：「……建家立業，……你母親生死不明，將來也該設法去查……。」但這句話又好像不斷地在鼓勵著他，他於是益加努力學生意。實在他這幾年來，帳目算盤件件都搞得爛熟精通，況且人緣又好，已是一個前途有爲的生意人了。可是他一面關心母親的事來，已暗暗地在探聽母親的消息，每碰到同鄉就要問起，新從大陸來的人那就更不必說了。不過這時候大陸的滿清，和臺灣的明鄭雙方是在敵對關係，不能交通，無法進一步去探查，所以也只好這樣就作罷了。

他每想起莊氏，就要連想到母親來，他覺得母親的面龐，

母親的慈愛，依稀還能夠從記憶中去找尋；可是想到母親十幾年來還是杳然毫無消息，心中不覺地又要隱隱作痛。不過生意終日忙碌，這種心情是很容易被沖淡的。

「榮順」號老闆吳明坤，老早就看中了個這青年，有意提拔他，把女兒秀鸞匹配他，所以事事對他特別關照。

這一年的夏天，吳老闆就託朋友傳達他的意思，並徵求他的意見。他對吳家的小姐，本來就有很好的印象，經過一番的謙辭之後，也就答應了。到了冬天，他就和吳家的這位小姐舉行洞房花燭的新婚禮了。

明燦的這位太太，或者是因為母親的家教好，很賢慧，好像她的母親是一位良好的內助，所以這一對年輕夫妻的家庭是很圓滿的。

這時候鄭經還保有金門、廈門兩島，不斷地和滿清的軍隊在東南沿海一帶有征戰，可是臺灣卻在他和參軍陳永華銳意經營之下，各地的開發建設已有長足的進步；尤其首都的承天府，百業欣欣向榮，更有一番的新氣象。

明燦和吳明坤的女公子秀鸞結婚後的第三年便生下了一個男孩子，這個天涯的孤兒，初獲麟兒，心裏的歡喜，實在是無法形容的。可是他這樣「建家」之後，他「立業」的雄心也漸漸地滋長起來，於是就在二十五歲的那一年，在丈人吳明坤的諒解和支持之下，他也

新式製糖引進台灣前的古老糖廍。

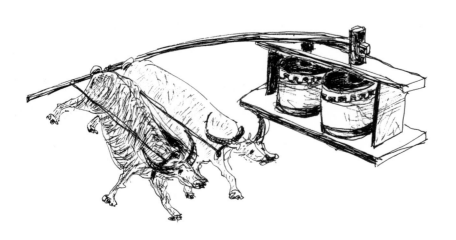

自立起來，在東定坊開了一家百貨舖，店號叫做「泰安」。

　　他的這間「泰安」號百貨店，果然不出眾人所料，沒有三兩年的工夫便迅速地發展起來。可是他的事業雄心，並不因此就能夠滿足，他看見臺灣糖的銷路很好，而且經營製糖很有利，便把注意力集中這一方面去。

　　他自少年時代，長賢一家搬到諸羅山開墾，每逢年節便要到那裏去，這時候大都是取路麻豆、蕭壠等地。這一帶蔗田多，糖廠也多，所以當製糖季節便時常可以看見製糖，他對製糖特別感興趣，每當經過糖廠時，他都要停足，看看牛拖著搾蔗機、搾蔗、煮糖……等。後來經營百貨店，糖也是經手商品中的一種，所以也就把製法研究得清清楚楚了。

　　他看見這種生意有利之後，不久便和一兩個朋友合股，在這附近開了一家糖廓了。

81

　　　　　　　　*　　*　　*

17　臺灣的製糖，早自荷蘭人佔據時期，本就有點根基；明鄭驅出荷蘭人之後，又經多方的獎勵，生產數量大大增加，現在已遠銷大陸的東南沿海及呂宋、交趾等各地。明鄭和滿清是在敵對關係，大陸和臺灣是斷絕著交通，可是商人還是千方百計，把它運銷到各地去，而且很受歡迎。所以臺灣的製糖大有方興未艾之勢。

　　明燦和朋友新開設糖廓，恰好在這個時機，他又很會經營，因時際會，於是他們的糖廓便很快地發達起來了。

　　明燦每天都忙得不能開交，他的「泰安」號百貨舖生意好，本來就夠忙了，現在又因為糖廓的業務，經常要到那邊去處理，這算是忙上加忙。但忙並不能阻撓他發展事業的雄心，

三兩年後，這糖廓的基礎稍告穩固，他又新開一間專門做糖的收買、寄售、批發等生意的糖棧。幾年後，一切的基礎都安定，他又獨資開設了一家糖廓。

他的事業這樣不斷地在發展，果然如俗語所說：「皇天不負苦心人」，不出十年，他已是這一方面的重要人物，每到糖產的旺季，他更是忙碌異常。他在事業如此一帆風順，而在家庭生活方面也極順利的：他和秀鸞之間已生有二男一女，夫妻子女間和氣親愛，極爲圓滿。

秀鸞本來就知道他身世的大概，後來嫁給明燦，他每於茶前飯後，就要談起自己可憐的境遇，當說到母親和他們離散，生死不明的時候，不覺地就黯然起來。他還特別說母親可能還生存在世，吩咐秀鸞留心探聽母親的消息，找她來團聚，以盡人子的孝道。

朋友同鄉都欣羨他事業、家庭的成功，稱讚他是個幸福的人。可是他每當聽到這種稱讚時，就要想起生死不明的母親來，暗自怨嘆這是美中的不足，心裏頭又要隱隱地作痛起來。

一個天高氣爽的秋天，明燦因爲收買原料甘蔗的事，和兩個執事的股東坐上牛車從近山的一片森林邊經過，蔚藍色的天空沒有一片雲，時節雖然已將近晚秋，牛車上也張著篷蓋，但是這南部一點也不覺得涼意。一路上，三人邊談談今年糖生意的景況，邊說說笑，很爲愉快。

當牛車來到離森林不遠的地方，只見一棵老榕樹下有一堆小動物在蠕動，「咭，咭，咭！」地在鬧著。

「那不是猴子嗎？幹麼在地上鬧著？」明燦注視那邊，詫異地自言自語。

「這裏還有猴子嗎？」一位股東問。

「有，都在那座山一帶。」駕牛車的這樣答，也注視那邊：

「好像都是小猴子，怎麼看見人也不走。」

「噯！是在拉著一隻大猴子。我們走得這麼近還不跑開。」另一位股東這樣說。

牛車走得很近的時候，那群猴子的咕咕聲越噪得厲害，而且時常望望這邊，拚命地在拉著那大猴子，還不願走開。

「我去看看。」牛車夫好奇，拿起一條鞭子跳下車走去。那群小猴子看見牛車夫走近去，便又咭、咭、咭地走開，有的跳上樹去，但都走得不遠望著牛車夫，只有那隻大猴子沒有走開，還坐在樹幹上，怒眼凝視著牛車夫。牛車夫看了一會，便轉頭回來，小猴子看見牛車夫離開，又「咭、咭、咭！」聚攏去。

「原來那是隻母猴，大概是受傷不能走，所以小猴子要拉牠走開。」牛車夫這樣報告。

「哦！」這幾個旅客都不禁異口同聲感嘆一聲。

明燦所受的感動更深。小猴子為拯救受傷的母猴，不顧生命的危險，拚命在拉牠要離開危險地帶。他一言不發，緊張地望著那群猴子的行動，到了不見，這才吐了一口氣。

*　　*　　*

18 明燦返家之後，便把這次旅行路上所見的情形告訴秀鸞，秀鸞也很受感動，兩人重新又談起母親的舊事來，深深地決意無論如何也要查個水落石出才肯罷手。

可是這時候大陸和臺灣的交通還在隔絕狀態，母親倘還在大陸的話，縱使託人去查，所得到的消息也不一定可靠。明燦現在已是一個大商人，在金錢方面沒有甚麼顧慮，他雖然明知託人轉折探聽不可靠，但並不因此就撒手不做。他透過很多生

意人到泉州到漳州去查探，可是這些努力似乎沒有甚麼用處，探聽來的消息不是沒有這個人，便是不可靠。但是明燦毫不灰心，依然盡可能繼續探詢。

有一天，秀鷥歸寧，母親告訴她說：在兩天前她聽見堂嫂說，她和一個來自鳳山的鄉親偶然談起明燦失蹤的母親的事，據這個鄉親說，他鳳山住家附近有一個從泉州來的中年婦人，這個婦人是在鄭成功進攻漳泉的一次戰亂中和丈夫兒子散失，這是在十多年前的事，這婦人的年紀約五十一、二歲，十年前來臺為人幫傭，也正在找尋丈夫與兒子。她談的情形大略和明燦相仿，可是進一步的情況就不清楚了。

秀鷥回家便把這消息告訴丈夫，明燦有一點疑訝，不過在過去所得到的消息之中，這一次所說的情形和自己最相同，但是那個婦人的名字，她的丈夫、兒子的姓名，家鄉在那裏等等都不明瞭，於是他特地託一個到鳳山做買賣的朋友去查一查，必要時自己還要親自跑一趟，來看個究竟。

一個多月之後，那個朋友回來，對他報告說：他曾親自到那婦人幫傭的主人家去探聽，湊巧那個婦人跟主人的太太一道出去不在；據主人說，這婦人叫阿珠，她的丈夫姓邵，名字不詳，受傭這一家已經有四、五年，她自泉州逃到臺灣後，一直就在鳳山受傭，雖然有人勸她改嫁，但她堅決不肯，相信總有和丈夫、兒子團圓的一天，其餘的情況則不明白。

明燦對這消息覺得很困惑，只據報告來推測，有點像是母親，也好像不是母親。泉州口音的「邵」字和「蕭」字的發音差不多，說不定是聽錯，那婦人的丈夫就姓「蕭」，況且那婦人名叫「阿珠」，自己的母親叫「珠鳳」。再託人去查呢？來往空費時日；親自走一趟呢？自己現在事業忙得不能開交，來往也要幾天的路程。他考慮了好幾天，也和秀鷥商量，都覺得很難

決定。但是出於對母親熱切的思念，他終於決定將幾天的工作託人代管，毅然地動身起程了。

南部臺灣的太陽是強烈的，明燦坐上轎子，冒了如燒的炎暑，坐了兩天的路才抵達鳳山。到了第二天，他託人介紹到那婦人幫傭的家去。介紹人把明燦介紹給主人認識，然後說明來意。主人把那婦人的來歷大略說明，才從廚房叫出那婦人來。一會兒，那婦人出來，矮矮的身材，黝黑的臉孔，跟長賢叔公嬸婆所說的，或是自己記憶中的母親，顯然是不同的。明燦藉口要問十多年前死在泉州的母親，然後轉口攀談起來，慢慢問明她的身世；明燦託的那個人的報告一點也沒有錯，她是泉州府城人，丈夫姓邵，一切的情況都和母親不同。

他知道顯然不是母親之後，也無心繼續跟她談下去，草草結束了談話告辭。第四天，他再不願多在此地逗留，懷了失望的心情，又雇了一頂轎子離開了鳳山，返回府城了。

一路上，太陽仍如火團。他喝了很多湯茶，也許是因為這個關係，歸家後竟害了一場痢疾，整整病了半個月才告痊癒。

* * *

19 明鄭自永曆十五年（清順治十八年，西元一六六一年）鄭成功進攻臺灣，逐出荷蘭人以來，把這個地方當做一個反清復明的海上基地，努力建設，已形成一個安定的局面。第二年鄭成功逝世，嗣子鄭經襲位，在參軍陳永華輔助之下，各種建設更加進步，以後就有一個繁榮的世代。可是永曆三十五年，鄭經死後，長子克塽監國，因處事明敏果斷，招了權臣和諸叔的嫉忌，遂被陷害謀殺，所以年幼的次子克塽襲延平郡王位後，政治完全被馮錫範等一班權臣操縱，一切都由他們擺

佈，勾心鬥角，一味圖謀私利，文不修，武不整，政治漸漸壞下去。

因此，這反清復明基地的空氣也就漸漸鬆懈渙散，這自然影響到民心士氣來。

滿清政府看破臺灣的這個弱點，馬上進行攻臺的準備，並派投降滿清的鄭成功舊部將施琅來執行這個任務。到了永曆三十七年（清康熙二十二年，西元一六八三年）施琅率領水師首先進攻澎湖。這時候明鄭所派的守澎湖的總指揮官是劉國軒。這劉國軒當時是明鄭稱為智勇雙全的大將，可是澎湖的防備不堅，而且他又輕敵，低估施琅的力量，所以經過一場激烈海戰之後，鄭師就全軍覆沒，壯烈殉國的殉國了，投降的投降了，劉國軒只好單舟逃回臺灣。

明鄭的文武官員接到這消息之後，驚愕失色，個個如油鍋上的螞蟻，茫然失措，可是這又有甚麼辦法呢？經過好幾次緊急會議討論的結果，滿朝文武深知已沒有抵抗清軍的力量，於是決定投降，並派人齎送降表到澎湖的施琅軍前求降。

這個決定傳出後，全東寧的人民，個個都知道從此在這孤島遵奉的明朔就要滅亡了，大的變化快要來臨了。大家都垂頭喪氣，浸在亡國的悲哀中，靜待新命運的來臨；可是，有志氣的人都痛哭流涕不可終日，尤其是明室後裔寧靖王朱術桂和王妃自縊殉國的消息傳遍後，大家的心緒益為激動，愈加沉重了。

八月十八日，施琅意氣軒昂地以征服者的姿態進入臺灣，接受鄭克塽的投降。接著就是一連串的佈告新政措施，慶祝歸清。這些在表面上雖然很熱鬧，家家戶戶點燈結綵，到處演戲，但是蘊藏在每個人心裡頭的亡國恨是深刻的。

＊　　＊　　＊

20 在臺灣，八月十五日中秋節也是一年中的一個重要節令。依照向來的慣例，中秋節前和端午節前與年底，商家是個結賬期，凡是有賬目長短、金錢來往的商家，在這節前都要結算清楚。明燦因為主持的生意有好多間，這幾天為了結賬忙得幾乎連吃飯的時間都沒有。

87

本來自鄭經去世後，施琅就奉命在對岸的閩南沿岸進行攻臺的準備，這是誰都知道的。到了劉國軒負責防守澎湖發表後，大家又放下心來，因為這個身經百戰的老將，平素是以智勇雙全聞名的，大家滿以為臺灣的關隘這個重責交給他可以萬無一失的。不料他在澎湖一戰就敗下來，而且單身逃回臺灣的消息傳遍後，大家都很驚駭。

「為甚麼這個人這樣無用，居然也是一隻紙老虎。……」

這一天，明燦很晚才回家，吃晚飯時又和秀鸞談起街上所傳的消息，秀鸞便毫無客氣，這樣批評起來了。

「這也難說，勝敗本來是兵家的常事，不過這次實在敗得太慘了，我們也應該有所準備好來應付局勢的變化。看目前的情形，施琅一定會來進攻的，可是我們這邊沒有迎擊敵人的準備，就是有，也恐怕抵擋不住，那麼這裏一定有很大的變化。……」

明燦對局勢的演變，已經有個看法，所以他把自己的意見對秀鸞說了。

「那麼，我們怎麼辦呢？」

「從速把生意收拾起來，靜觀新局勢的來臨，到底會變成怎樣，再來開始不遲。」

到了中秋節的前幾天，鄭克塽決定投降的消息傳遍後，街

上更是一片的混亂，人心惶惶不安，大家一見面就問有甚麼新消息沒有？過節的買賣差不多都停止了，餅舖的月餅，不但銷路壞，根本就很少人買，每間月餅舖都冷清清地很少人光顧，其餘的更不必說了。

於是中秋節到了。這天傍晚明燦一家人和夥計圍著桌子吃豐盛的酒菜。街上的情形是那麼不安，每個人各懷心緒，大家都沉著臉吃著，酒也是默默地喝，就是說話也是很低沉，沒有往年的中秋節的歡笑。只有還不懂事的明燦的小孩子吵著要月餅要柚子。

「阿瑞哥，你有聽到施琅甚麼時候來沒有？」明燦喝了一口酒問掌櫃的阿瑞。

「大家都在說，這不會太久，恐怕這一兩日就會開進來。」

「我們的生意還是暫時停下來觀望好，等待大局底定再說。」明燦這樣吩咐。

大家草草吃完了飯，明燦就吩咐拿月餅柚子分給大家，可是今年大家卻不繼續聚談賞月，站起身便各自走了。

窗外的月亮，天色越晚，越明亮越皎潔，可是誰也沒有心情去欣賞。街上也沒有聽見爆竹聲，也沒有歡笑聲，一切都冷清清，很沉悶的。

*　　　*　　　*

21 全臺灣的官民，在沉痛中悄悄地渡過了中秋節。雖然沒有戰事，在清軍「和平」進駐之中換了朝代，但每個人心中的亡國恨是無法彌補的。

市街隨著歲月的經過，悲痛也漸漸淡忘下去，過了一段時期，不但恢復了舊觀，而且還帶來了一種新的局面。因為過去

二十三年間，臺灣的明鄭和大陸的清朝是敵對關係，一切都沒有來往；可是現在情形完全不同，跟大陸的交通也恢復了，人人可以自由來往，彼此的貨物也公然開始運來運去了。

明燦支配下的兩所糖廠和泰安號百貨行，本來也停業了一段時期，靜觀大局的演變，到了這時候看一切都底定了，便又重新展開了營業，開始做買賣。他們的生意原本很好，現在和大陸的貿易又公然再開，所以更加忙得不得開交。

「明燦，昨天不是說有安海船來了嗎？同我們有沒有交關（做買賣的意思）？」

「沒有。這幾天來往的船漸漸多了，有安海來的，有泉州府城來的，有蚶江來的，也有石碼來的……。昨天諸羅有人來，世德兄託他叫我探聽故鄉的消息，他想在最近回鄉去掃掃祖墓，探望探望。」

「是呀，離開太久了，我的表兄聽說也要回鄉去看看，前天我母親說我的伯叔兄弟也可能在最近動身。」

「唉！說起故鄉，又要想起母親來。如果知道她的下落，我馬上就起身去找。泉州方面來的船我都探聽過，一點消息也沒有。我的生意這樣忙，而且又是重新開始，無法抽身，不然就回鄉去找。……」

他說到這裡不覺地又黯然神傷。實在，他不但在事業上無往不利，在家庭生活也很幸福。只有母親還下落不明的這件事，不斷在刺著心。

「現在既然跟大陸恢復交通，隨時都可以回去，我們可以用盡方法來探聽探聽，我想一定是可以找得出來。她是一個老婦人，不會流落得太遠的。啊，我忘記了！我母親下個月初十日要做六十大壽，我們應該快點準備才好。」

秀鸞知道丈夫的心緒，不願再刺激他，便這樣安慰他，順

便把話題轉開了。

「唔！禮品要儘量豐富才行，我受妳父母的恩惠栽培太多了。」

季節已是初冬時候了，亞熱帶的臺灣府城也漸漸冷了，好像在這季節變換期，衣服由夏秋裝變為冬寒裝一樣，衙門的明朝官府已經歛跡，由紅頂花翎的滿清官吏來代替了，就是街上行走的人，長袍褂子垂辮子的人也漸多了，一切都急遽地在改變了。

*　　*　　*

22 一年又是一年，歲月真是好像古人所說的「白駒過隙」，過得很快，轉瞬又是三年了。

明燦的事業一直在發展，泰安號百貨行和兩所糖廠，現在雖然都已設有賬櫃（經理），專責經營，無須他直接去指揮，可是他還綜理著全盤的業務，因此他每天仍是自早晨忙到晚上，一點喘息的時間都沒有。

這一天的早晨他又在爆竹聲中醒過來。今天是正月初三日，俗稱為赤狗日，通例是不外出，也不請客的，所以他睡得特別遲。他梳洗完畢，便坐在大廳上的太師交椅上吸起水煙來。今天不要應酬，整天可以在家裡和家人團樂歡聚，這是終年很少的事，他覺得今天心情很寬鬆，他一面慢慢地吸煙，一面在享受從終年忙碌緊張暫得脫開的舒適。他抬頭看裊裊上昇的煙，忽然看見對面壁上母親的肖像畫。這是他去年特地託街上的畫匠，把自己記憶中的母親面容講給他聽，叫他照樣畫出來的。此外還畫了一張父親的肖像畫供在神桌上。

這張彩色的肖像畫，畫得很美麗。他凝視著畫出神，不覺

地萬感交集。嬰孩時代，母親疼愛自己的情景又浮現在面前，他覺得自己這樣能得豐衣足食，過得幸福的家庭生活，還不能把這生死不明、流落他鄉的慈母找來，一起過快樂的生活是不孝的，臺灣歸入滿清的這三年來，自己雖然用盡心機，也花了不少的金錢，託人去閩南各地找，但為人子，這樣做還是嫌不夠的。他覺得這樣是自己對不起母親，自己還沒有盡責。

「好，無論如何，在今年之中，我非自己去找一趟不可！」

他深深地下定決心。

「頭家，請吃飯。」

他被傭婦阿碧這叫聲，打破了胡思亂想，於是答了一聲：「好，我來。」連忙站起身走入飯廳去。

正月初旬這幾天，夥計都已回家團聚，飯廳只有秀鸞和子女。現在大孩子已進入縣學，第二的也在攻讀舉子業，女孩子也在附近的書塾裡唸書。雖然只有自己的家人也倒很熱鬧。

今天大家仍是興高采烈，十分高興。明燦不願意破壞大家的情緒，便在談笑之間，輕鬆地把自己的決心告訴秀鸞。

「好吧，你親自走一趟也好。」

秀鸞沉思了一會，也表示同意。

* * *

23 明燦決意到閩南各地尋找生母之後，秀鸞雖然表示同意，可是這時候雖已入春，還是屬於下冬天，澎湖溝（臺灣海峽）風浪很高，危險性很大，因此，她也跟大家勸他，不如等到春夏之交的三四月，風平浪靜，行船危險性較小的時候才起程。

明燦執意不肯，他說正二月正是生意的淡月，自己正好趁

這一時節走，時間比較充裕，一來可以儘量打聽消息，二來也可以趁此機會謁祖，掃掃祖墳，看看故鄉和族親敘舊。大家看他意志如此堅決，知道無法改變他，只好聽從他的主意，幫他準備了。

　　明燦此行，主要固然是在找尋生母，但附帶的目標也多，

早期台灣櫛比鄰次的閩式店鋪街道。

所以所帶的銀兩和禮物不少。秀鸞不放心，特地派一個來自熟識這一帶的同鄉夥計隨行照料。臨起程的那一天，到安平碼頭送行的人很多。行色是很壯觀的。

安平到南安雖然很近，但在這風高浪大的季節，這條四五百米的船也是受不了的（昔時船的大小都以載米穀重量為準的，四五百米的意思，就是能夠載白米四五百包之船隻），所以當船要過澎湖溝（臺灣海峽的黑洋的俗稱）時，那強烈的季節風和驚浪駭濤，使整條船好像一片枯葉，任被翻弄，全船的人歪來倒去，躺的躺，吐的吐，險些碰到暗礁，好不容易才脫險。

明燦在南安的這一小鄉算是事業發展成功，衣錦榮歸，所以他一抵達，就有很多族親朋友來探望。這其間難免有很多的酬酢。他在祭祖掃墳完畢後，便又專心探聽母親的消息，通風報訊的人當然不少，可是大都是捕風捉影的居多，不過他也不放棄任何一個訊息，一稍有眉目他就託人或派人去查詢。他知道母親是個鄉下婦人，怎樣也不會跑得太遠的。

他這樣費盡心機，一切努力仍然是落空的，一個多月過去了，下意識地覺得母親雖然還是活在這世上，但人海茫茫，行蹤依然是渺茫。他為這事搞得心疲力竭，也覺得萬念俱灰，可是母親慈愛的形影，始終縈繞在腦裏，對母親一片的孝心，不斷地勉勵著他，鞭策著他。

*　　　*　　　*

24 他離開臺灣時，本來已把所有的事業都安頓停當才走，誰知道他離台後，正月初旬剛過，一切生意仍進入旺季：那間南北貨的百貨店，俗稱簐仔店（編註：指雜貨店），因

為早已升為各鄉鎮零售店進貨的簸割（簸行），全行大小都忙得不能開交；就是兩間糖廍，假期剛過又開始生產，至於那家專做蔗糖囤售的糖行，內外訂貨也源源而來。這些他主持下的事業，時常發生無法解決的事情，紛紛來函催促他返台處理；不過母親尚未找到，消息仍然渺茫，使得這個事業心重，思母情切的明燦，心焦意亂，終日如熱鍋上的螞蟻，不知如何是好。可是他非找到母親暫不返台的念頭，仍然很堅決。

　　他返鄉後，因為久年沒有返回唐山，所以一有空，便帶那個夥計，或邀些親戚朋友到處逛遊鄰近鄉鎮固不消說，較遠一點的泉州府城如東西塔、洛陽橋……等名勝古蹟他都去遊過，祇是他在遊前，一定要先問問那地方有沒有親戚故舊，一到那個地方首先就拜訪那些人，打聽母親的消息。

　　延平在閩南一帶雖然不是甚麼大地方，而且也沒有甚麼聞名的名勝古蹟，祇是這個地方山明水秀，鄭成功佔據這個地方有相當的時日，跟清軍有過激烈的交鋒，他早想有機會，便要去玩一玩。

　　有一天，閒著無事，他帶來的那個夥計忽然對他說：

　　「頭家，我們這一兩個月來，遊得不少的地方，是不是也到漳浦和延平等地去玩一玩？」

　　「好呀，還是先打聽那裡有甚麼親戚朋友要緊？」

　　他漫然地這樣答應，那夥計今天好似特別起勁，便馬上跑到附近的堂叔伯堂兄弟輩的家裡去打聽，不一會回來便說：

　　「漳浦、延平好似族親很少，不要管他，我們甚麼時候去？」

　　「明天不行，後天好吧。」

　　他倆先到漳州府城漳浦玩了一會，當然也沒有忘記打聽母親的消息，只是這裡也一樣地沒有收穫。第三天趕著行程，到

延平，擬照例玩一玩，打聽母親的消息，能夠的話提前回鄉。

　　抵達延平的第二天，大清早梳洗完畢，便帶了那個夥計出
了客棧，首先到了遠親的吳阿老家拜訪，這吳阿老是母親外家
的堂叔，以泉州人到漳州人做船頭行，且在此地很久，跟故鄉
很少來往，相識的人也少。明燦本來就沒有抱多大的希望。明
燦跟年老的吳阿老寒喧一下，便說明來意，阿老捋著蒼白的鬍
鬚，聽完了他的話，忽然兩眼閃閃發光，口氣甚急，說：

　　「哦！天下事真是無奇不有，我們這裡有一位姨娘，她是我
的堂妹，來這裡幫我們的家務已經有幾十年了，我記得她的情
形，跟你說的很相似。好，我叫來跟你談談。」

　　阿老馬上吩咐身邊的小廝到廚房去叫。不一會從後落走來
了一位半百老婦人來，明燦一見，直覺地便認出是母親，他馬
上三步做二步搶前去，叫：

　　「妳是不是阿娘！」

　　「呀！你是阿燦。……」

　　那老婦人也急步走近來，把明燦上下打量，明燦急著答：

　　「阿娘，我是明燦不錯，妳辛苦太久了。」

　　母子雖然相隔幾十年，但一眼便認出來。兩人緊緊相擁地
哭起來，吳阿老及其家人都被這場不期而會的相逢，母子天性
的流露，感動得個個發呆，很久很久的沉默之後，還是吳阿老
發了言：

　　「好了，真是上天不負苦心人，好人有得好報，你們母子終
於見面了，還是商量怎樣接你老母回去的事要緊。」

　　接著母子久年重逢的喜悅，自不在話下。明燦找到了母親
之後，便急著返回臺灣。

　　從此，母子、媳婦、孫兒一家團圓，在欣欣向榮的事業
下，過著天倫快樂的日子。

郁永河
採硫磺

郁永河的旅行路線

參考《橫越福爾摩沙》（劉克襄著，
自立晚報出版，1989年）頁146重繪。

① 康熙三十五年的冬天，歲暮將近的一個寒氣凜烈的深夜，福建省會福州的火藥庫突然爆炸，一夜之間燒燬了五十多萬斤的硝磺火藥。沖天的火花和撼地的炸裂聲響，不但使全城的居民震驚，最感惶恐的就是負責保管的典守，不知怎樣才能夠如數償還。這時候，吳、尙、耿三藩的叛亂已經平定，臺灣的鄭氏也已滅亡，天下雖然正在歌舞昇平，但償還火藥的政府命令，是有期限的。關係者雖然決定要從早在荷蘭時代就已聞名的硫磺產地——臺灣的雞籠（基隆）、淡水（當時臺北及北部地方的總稱）採集；可是康熙二十二年鄭氏投降以來，臺灣入滿清版圖僅有十三年，這地方還是蒙昧未開；險阻多，水土又壞，甚至軍隊隸役都視爲畏途不願意去，何況在省城享福慣的人，誰肯去擔負這苦差事？大家正在感覺沒有辦法的當兒，突然有一個很有名望的人說他願意擔任這個任務，帶領人伕去採硫磺，這個人就是郁永河。

郁永河字浪滄，浙江省仁和人，生來喜歡遊山玩水，七年前就來福州遍遊省內。他本來就聽到這新領土是個肥沃之地，心裡早就想去一遊，所以自動提出這個要求。當然他的這希望馬上被接受，於是在翌年正月的廿四日，取陸路先至廈門，才換乘船隻朝向臺灣出發。一路過了驚險的黑水溝，在澎湖的媽祖澳登陸一遊，然後從鹿耳門經過安平城，由赤嵌上陸。

永河一行抵臺後，寄身臺灣府尹蔣氏公館從事籌備，每日忙於購買和土番交易的布帛，預防硫毒的糖，鍊硫磺的油和大鑊，採掘所必要的刀、斧、鋤、杓、大小桶、秤、尺、斗、斛等工具，以及百人份的米、鹽等糧食，釜、碗、箸等食器，有閒暇時，則逛

逛這臺灣府城（臺南市）。這時候，府城的市街，雖然沒有福州那麼熱鬧，但也已很整齊了。

籌備差不多已將就緒，郡守靳治揚、齊體物看他是親身要去，就異口同聲諫他道：

「老兄難道不知道嗎？雞籠、淡水水土之壞是很有名呀，到那裡的人都會病，一病大概就是死，所以隸役一被派到那裡，誰都欷歔悲嘆，好像被送到死地，水師老例的春秋調換，也都在回來後就大大地慶祝幸得無事。他們尚且如此，老兄你年近半百，還是留在這裡指揮，只派僕役去就可以吧。」

可是永河卻搖搖頭答道：

「我不親自去不行，況且又是受人重託。」

同鄉的參軍尹復、鳳山尉戚家燦也來力勸，可是他的決心絲毫也沒有動搖。到了臨行，一行中意見又分歧起來，王云森說沿途土番多屬蒙昧未開，疫癘盛行，所以主張乘船直接到淡水。但顧敷公則說，這一水路海淺多暗礁很危險，最好是陸路。兩人經過一番激論互不相讓，所以結果決定分為水、陸兩組前往。王云森由海路，將買備的東西分裝兩船運往；永河為了看看沿路的情形，就和顧敷公乘笨車（有蓋的牛車）由陸路前往。

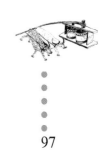

 省略

97

*　　*　　*

②　四月七日，郁永河和顧敷公及隨行人伕等共五十五人一清早就出發，過了大洲溪，經過新港（新市）、嘉溜灣（安定庄）兩社，就抵達麻豆社（麻豆）。這三社和歐汪社（佳里），早在荷蘭、鄭氏時代就被稱為四大番社，發達很早。這時候他們經過的地方差不多沒有所謂道路，有的砂礫滿地，有的

是茂草沒身，如行地底，車顛顛籤籤，異常疲倦，所以每抵一番社，就換車換黃牛；而且日間有蒼蠅、蚋，夜間有蚊群襲來，皮膚被咬得紅腫。顧敷公及同行人看路途這麼辛苦，又勸他不如及早回府城等候，可是他仍然搖搖頭說自己的目的就在視察各地，任何勞苦並非所計。於是取路諸羅山（嘉義）社、打貓社（民雄）、他里霧社（斗南舊址），抵達柴里社（斗六）時，才看見御車的土番，周身刺青，背刺著鳥翼盤旋，自肩至肚臍刺網罟縷絡，兩臂刺人首，自腕至肘則掛著鐵鐲數十道，相貌猙獰。永河不覺一驚，一問敷公，他答說這些都是平埔番並不害人。

路越來越險峻，十日過虎尾溪、西螺溪，水流湍急，牛車好不容易才得渡過，到了大武郡社（員林、社頭），紋身的番人愈多，耳輪漸大如碗，頭髮加束，有的作三叉，有的作雙角，又有的以雞尾三支為一排，插在髻上，迎風招展；還看見三個婦女在舂米，面貌很美麗，都是裸體的。可是過半線社（彰化），到啞束社、大肚社（大肚）番女的容貌又難看起來。過沙轆社（沙鹿）、牛罵社（清水）後，連日是雨。大甲社、雙寮社、吞霄社（通宵）、新港仔社（新港）過後，剛剛抵達後壠社（後龍）下車休息，忽見王云森破衣跣足在中途等候，一問起來才知道他搭乘的船遇風沉沒，另一艘大概順利，已先行數百里。

二十五日，越了三個高嶺至中港社（中灣）午餐的時候，看見門外有一隻牛關在木籠內，俯首局促，永河覺得很奇異，一問起來，據答這是初捕的野牛，這樣的馴養了一個時期，才放出來使用。又說：

「前面竹塹（新竹）、南嵌的山中野牛很多，千百成群，土番捕到後都是這樣馴養，才來使用，現在這裡的牛車，大半就

是用這種牛。」

　　到了竹塹社時，留了王云森設法撈起沉在海底的大鑊和鐵器類，才轉入南嵌社。自竹塹至南嵌有八、九十里，沿途不見一人一屋，麋鹿成群，盡是原始地帶，一行還打了三隻鹿。路上牛車一直都是在深草中前進，衣服都被割裂，晚上就在這裡過夜。

　　翌日，自南嵌越過小嶺，沿海岸前進，遠遠地就看見美麗的岔嶺，到了八里岔社，有一大江擋在前面，那對面，就是淡水社了。

　　永河下了牛車正要換船過渡時，忽然波濤之間，夾著嗡嗡的音響，接著漫天都是蝗群，掠過頭上而去。永河因為慢一點掩伏耳面，被刺得隱隱作痛。蝗群過後，只見洲際有很多小舟，都是獨木鏤成，可以容兩人對坐，他以手指示意，問問身邊的土番。則答說：「莽葛，莽葛！」

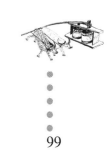

原稱「莽葛」的獨木舟，是早期原住民的運輸工具。

郁永河當年
將入狹小水
道的地方，
今已架起關
渡大橋，岸
邊聳立大屯
山。

③　他們乘了莽葛一抵對岸，淡水社通事張大已在恭候了。
永河於是留宿他的家裡，飯後一談起，才知道他來這裡
任這一差事已過了十二年，而且從未曾離開過。他不但愛護土
番，備受他們的尊敬，而且自己也以為在這蠻地獻身國家是一
件很有意義的工作。永河聽完了他的話很受感動。

　　他倆正在談話的時候，僕役來報另一船早已抵達此港。一
會兒，那船的人來見他，據說他們遭風後，船也失了控制力，
流到雞籠，前天才駛到這裡來。永河歡天喜地，慶幸能保全一
艘，於是囑令開始準備，並託張大築造工作房屋。五日後，張
大來告築造的房屋已經完成。

　　五月二日，大家趁天氣未熱，一清早就分乘舢舨，由港口
溯上淡水河；只見前面左右兩山夾峙，水道狹隘，一過這水

門，前面忽然廣闊起來，渺茫如大湖，水面平靜如鏡，忽然左手出現一座雄大的山脈。永河一路上沉醉在這美麗如畫的景色，這時候才好像從夢中醒過來，望望身邊的張大，指著那山脈問道：

「這叫做什麼山？」

「叫做大遜（大屯），是這一帶最高的山，也是一座火山，我們剛剛通過的狹窄處叫做甘答門（關渡、江頭）。」

他又指前面的平原，繼續說：

「那裡環繞著高山，周圍有一百餘里，中間是平原，這條溪貫流那平原，有麻少翁（士林）三社沿溪居住，三年前的四月，忽然地震不休，土番害怕起來，慌忙遷走，不久，地陷變成水，現在還有竹和樹梢突出水面……。這麻少翁社和內北投社都在硫磺山的左右，毒氣蒸鬱，聞得很昏悶，土番經常用糖水來解毒。武勞灣（新莊）、大浪泵（大龍峒）等社很廣大，土地又肥沃。八里岔社和這些番社共二十三社，都由我們這淡水社統治。」

行了十多里，左手茂密的草叢中，有二十多間的新茅廬依山面湖建立著，張大說這就是工作的房子，大家於是紛紛上岸。永河將這二十多間的臨時茅屋分配起來：安放大鑊兩間，貯硫土六間，伕役居處七間，廚房兩間，自己和顧敷公及未到的王云森居處，收藏雜物處三間。分配一告完畢，馬上開始起卸各種工具。張大臨走，永河託他傳集所屬各社主管，好來商量採集硫磺的事。

這一日忙了一整天，到了黃昏時候，草草喫完了晚飯，永河站在較為高處的自己的茅屋前，遙望對面西沉的落日，映在水面的美景，深深地吸了一口氣，深覺自己冒了千辛萬苦的路途，目的是在採取硫磺，這工作現在就要開始了。

入夜，一就榻，日間轟轟的山鳴愈加顯明，好像飛湍倒峽的聲音，好不驚人。

端午節的初五日，永河令廚子做了一些粽子和菜，大家正在飲酒過節的時候，忽然王云森奔到，帶了撈起的大鑊和很多工具來，永河愈加歡喜，大家於是又重新暢飲起來。

數日後的一個早上，附近各番社的土官都齊集來，計有八里岔、麻少翁、內北頭（北投）、外北頭、雞洲山（淡水鎮圭柔山）、大洞山（淡水鎮大屯）、小雞籠（小基隆）、大雞籠（基隆市社寮島）、金包里、南港、瓦烈、擺接（板橋市社後）、里末（萬華）、武溜灣、雷里（臺北市東園）、若釐、繡朗（中和市秀朗）、大浪泵、奇武卒（大稻埕）、答答攸、里族、房仔嶼（汐止鎮長坑）、麻里折口（錫口）等淡水總社轄下各番社二十三社。永河勸酒後，就說：

郁永河採硫處，在今天母行義路硫磺谷一帶。

北投路邊合

「小弟這次奉了政府的命令來這裡採集硫磺，所以要請各位協助，命令各社的番丁運硫土來這裡和我們交換布匹，交換的比率是硫土一筐換布七尺。」

他又當場送每個人一丈多的布和糖塊，士官歡天喜地滿口答應。席上，永河還問硫土從那裡出產，他們都指著茅屋後的山麓。他於是又託他們明天派一個人來嚮導，好去看看硫磺產處。

*　　*　　*

④　第二天，果然兩個年青的番人來相候，永河於是和顧敷公坐了莽葛，操楫緣溪而入，到了溪流盡處的內北頭社，才捨舟登陸，轉向東方行了半里，就進入茅棘中，這些茅高有丈餘，雖然有一條小徑，可是要用兩手排開才得前進，五步之內，就各不相見，大家怕離失，各聽呼應聲來做連絡。

這一天炎日如燒，草上又蒸發著熱氣，約行了兩三里，涉渡了兩條小溪，又入一個蒼鬱的深林中，這裏鳥聲婉轉，涼風襲人，和剛才的炎暑，又是另一個世界。由此再過嶮峻坂坡，有一條大溪，廣四、五丈，*潺潺*的水流和石頭都作藍靛色，嚮導的社番說，水源是出自硫磺穴，手試入，果然很熱。更進二、三里，林木忽然沒有，一到前面的山，腳底漸熱，草色也萎黃，山麓有一縷縷的白氣升起，好像冒起的山嵐，風一吹，就有一股硫磺味，那嚮導人又指前面說：

「那就是硫磺穴。」

更進半里，不但光禿禿沒有草木，地面的熱氣好像燃燒著火一樣，左右兩山巨石，都被硫氣侵蝕，好像刷粉一樣；地底噴出白氣，沸騰的水珠四濺。永河撩起衣服行近穴傍一看，穴

中的吼聲像怒雷般震盪著地底，驚濤也像沸鼎，使地面隆隆震動，好不驚人。這周圍大約有百畝，一行好像在大沸鑊的蓋上行走。大家連忙退了百步，左旁有一溪，聲響好像倒峽一樣，據說這就是沸泉的水源，他猛然憶起茅屋聽見的瀑布聲，原來就是從這裡發出來的。

一行於是回到深林稍爲休憩，才沿舊路返茅屋，但燻著硫磺氣的衣服，整日臭氣不散。

各社的男女社番於第二天，陸續以莽葛載硫土來交易，布七尺換硫土一筐，一筐的硫土約有二百七、八十斤，土色有黃的、黑的，質很重且有光芒。

永河於是命令開始製鍊；硫土是要搥得粉碎，曬乾待用的。大鑊中先入油十餘斤，然後徐徐放入曬乾的硫土，以大竹做的十字架，兩人各持一端攪拌，土中的硫磺得到油，就會自己浮上分離起來，然後才以大杓子舀起，流入小桶使它自然凝結，這樣又頻頻加土加油，到了滿鑊爲止，一鑊大約要入土八、九百斤，油則看土的優劣加減。工人時常用鐵鍬取汁，每鑊大約可得淨硫四、五百斤，壞的是一兩百斤，或幾十斤不等。關鍵雖是在油，可是火候也有多少的關係。

入六月以來，每天一到下午，驟雨就到，可是工作一點也不停頓。有一天，張大來說這個月是這附近番社的收穫祭，今天他應邀去參加，倘有興趣的話，同道去參觀如何？永河正在無聊，馬上跟他去。

一入番社，只見男女都盛裝著，男的頭插羽毛，身披鑲著貝殼的短衣，女的則披了樹皮和犬毛交織的毯衣，腰縛染鹿血的短麻布裙，土官一見永河和張大，歡天喜地歡迎，連忙命番好進酒，這酒是用竹筒裝的，類似米酒。社中到處都屠鹿供食用。

入夜，在社內的廣場燃起火堆，男男女女三三五五集合飲酒，到了咚咚的鼓聲一響，女人手牽手，圍起圓陣，邊唱邊舞，直到深夜才興盡而散。

約莫再經過十天吧，僕役中忽有人發起熱來，而且染病的人數一天一天多起來，病人還在一定的間隔就感覺惡寒和疼痛，發出囈語，永河將帶來的藥分給他們服用，但並不見功效。終而和永河同榻的都是病人，工作也無形停頓起來，每日只聽著呻吟和打寒噤的聲，永河忽然想起，臨出發時朋友們的忠告，並不是嚇唬他的話，但他又想，不論怎樣，自己的這個任務非完成不可，他於是決定將病人送回臺灣府療治，再請派人來繼續工作。他將這決定告訴顧敷公，請他照料病人返府，他點點頭表示同意說：

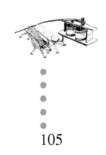

105

「這樣也好，可是您呢？」

「我？我繼續在這裡工作。」

「只留下您一人怎行呢？我想您也一同回去，派一個可靠的人來負責就可以罷。」

「不！沒有關係，我已決意，非到這個工作完成我不走，請你帶他們回去就是了。」

顧敷公看他主意堅決，心裡也很佩服，也就不再勉強，匆匆將病人分乘舢舨和莽葛，運到淡水社，然後轉赴臺灣府去了。

＊　　＊　　＊

5 一行分水陸兩路出發的時候，本有一百人；可是病人送走後，卻只剩下三人了。永河不但要指揮這兩個人和番人繼續鍊硫磺，交換硫土，還時常要在炎熱如火的烈日下，出

入深草茂林，或是親身下廚房炊飯煎茶，最感苦痛的就是留下來的沒有一人通番語，凡事只有指手畫腳來代替語言，以疏通意思。這一帶這時候還是洪荒之地，人跡罕到、蝮蛇橫行，稍不小心就有被咬的危險，日間如此辛苦，入夜更為淒涼，海風怒吼，萬籟響答，林谷震撼，屋榻也好像要傾倒下來一樣。到了夜半，猿啼如鬼哭聲，更是令人毛骨悚然。

入了七月，炎暑漸漸退去，由福州省城新派來了十二人，大家的勇氣於是重新振作起來。過了幾天恰值中元，大家又忙碌地祀祭後，開懷痛飲一番，可是第二天忽然有三人發了病，症候和以前一樣，發出高熱和劇烈的下痢，十七日又發生了五個新的病人，症候也是一樣的。

永河束手無策，覺得很懊惱，這天將近黃昏的時候，覺得悶熱異常，他信步走出門外，只見甘答門那邊的山上掛著五彩的虹，且落日也與常時不同，紅中罩蓋著一重雲翳，入夜竟吹起北風來了。十八日，風越大，新來的十二人竟全部病倒，十九日以來連日狂風，山鳴水吼，二十間的草屋大半破壞，到了廿二日風雨益加猛烈，屋前草亭被吹起空中，好像蝴蝶一樣飛舞起來。忽然，永河住的草屋折了三柱，他連忙攜帶斧頭，冒了風雨在附近砍了六根支撐棟柱。這時候，大水從山上崩流下來，河流又漲，四圍濁水滔滔，而且氾濫還刻刻在漲高，情勢漸漸危險，永河連忙和兩名的僕役拖出舢舨，令病人上舟，馬上駛到淡水暫避。永河已滿身濕透，僕役極力勸他同往，但他怎樣都不肯，只自己一人留下，在風雨中奔走各室收拾各物，可是水勢刻刻在漲，一會兒已沒脛，一會兒又沒膝，又一會兒至胸。他看已不容再逗留，不得已越過了山，朝向內北頭社走。永河雖然蹣蹣跚跚，以杖支持，在猛烈風雨和水中走了二、三里，忽見路旁有一山洞，內面是番室，他連忙進去，洞

內有二個土番生著火，正在烤著一隻雞，永河指手畫腳，表示要借避風雨，那二番只把他上下打量一下，也不作聲。他自昨天來在風雨中摶鬥，未曾吃過一粒飯，現在一聞一陣陣的香味，腹內不覺嘰咕作響，感覺饑餓異常，於是脫下上衣和他們交換那隻雞充飢，當晚就借宿這山洞。

廿三日，自早晨雨已停，風力也已衰弱，到了中午完全停止，他就託他們渡自己到淡水，路經茅屋舊址一看，只見已是一面平地了。第二天，看水勢稍退，急忙到張大處，才知道有一病人死在水中，其餘病勢也愈加嚴重起來，於是馬上打發他們返府治療，自己留在張大的家裡，並命令他再建築茅屋備用。張大看他這樣不撓不屈，不覺為之感動。

中秋節過後，永河又帶了僕役兩人返到新築的茅屋，從事新的佈置。過了十天，顧敷公率了伕役六十人抵達，於是又重新開始交易硫土、鍊硫。這次工作很為順利，到了十月初，所需的五十餘萬斤的數量已經完成，於是停止工作，準備運回省城。十月初四日，諸事停當，他才辭了張大，朝向福州出發。

紅毛城、七星岩、大遯山從眼簾消逝後，左手的八里岔番社和岔嶺也漸漸不見了，永河回顧身邊的顧敷公感慨無量地說：

「我們自五月抵達這裡以後，已將近六個月了，人家都怕這瘴癘之地，但是我卻感覺著無限的依戀呀。」

顧敷公點點頭，表示同意。永河戀戀不捨地呆望船後的煙波。

附記
(1)永河返國後，曾將他在臺灣的見聞著為一書，叫做《裨海紀遊》，這部書現在已成為研究臺灣的重要資料。
(2)括號內是現在的地名。

林先生開大圳

❶臺灣中部地方的開發，比較南部雖然遲些，可是到了康熙末年，開墾工作，已經有了相當的規模和組織。這時候荒埔已漸漸變成良田，原住民的平埔族，也逐漸退出，一部分和漢人同化起來。而擁有大資本的豪族，陸續由大陸的閩、粵各地招了大批的佃農來到這裡，拓荒地，鑿水圳，從事開墾。

彰化地方這時候叫做半線，還是在開墾的初期。這地方有一個開墾的首領叫做施東，他本是福建泉州府晉江縣安海鄉人，很有學問，生來很喜歡做善事。他最初是來鳳山，從事糖業，將臺灣糖輸出日本販賣，因此發財成了富戶。後來，就出資由故鄉招來大批的佃農，到了半線地方，大規模著手開墾，因為他資力雄厚，做人慷慨，不久就成為這一帶有名的墾首。

開墾著手不久，施東染了一病去世，這一事業就由長子世榜繼承起來。這世榜別名叫做長

八堡圳分水門，左方為林先生廟，廟前有集集線小火車通過。

齡，字文標，很小的時候跟父親渡臺，他很有其父的遺風，不但為人慷慨，親戚朋友同鄉有窮苦的，時常受他救濟；有甚麼義舉，他都竭力贊成，而且也很有學問，是康熙三十六年鳳山縣的拔貢生，也曾做過福建福寧府壽寧縣學教諭、兵馬司副指揮。

他繼承父親的開墾事業後，更積極進行開發，於是半線地方的萬頃平原，逐漸變成很好的耕地。可是這一帶荒埔雖然日漸開闢，但還沒有供灌溉用的埤圳，所以天一不下雨，農作物就要受了很大的影響，收穫物大減。

有一年，中部地方亢旱，這一帶的田地竟沒有半粒米穀的收成，世榜眼看這樣靠天收穫的耕法，終不是個辦法，應該築造一個很好的水利，來鞏固耕作的根本。可是他又深知大家是沒有這筆錢，所以就決定自己出資築造水圳，一面勘查地勢，一面進行籌備，於是在康熙五十八年，招募了大批的伕役，在東螺的平野，著手開鑿了。

東螺堡的平野，不久到處築造起很多的工寮，供招募來的工人供宿。籌備一告就緒，就擇定一個吉日，祭告天地，大家大喝大食一番，便開始開鑿工作。這個工程的預定，是由沙連下堡濁

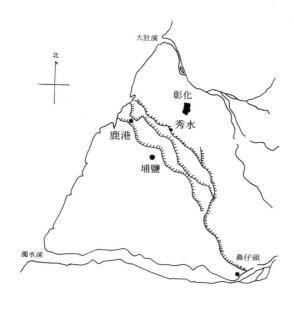

八堡圳灌溉區域

參考《清代臺灣水利開發研究》（劉育嘉著，1997年1月）頁127重繪。

110

水庄，引出濁水溪的水流。因為這是和這一帶的開墾有生死的關係，長齡萬分慎重，每天在繁忙中，一定要抽出時間去巡視、督導工作。

這時候，這半線地方的原住民平埔族，在現在的北斗鎮埤頭庄有東螺社，二林庄有二林社，溪州庄有眉裡社，現在的鹿港鎮有馬芝遴社，彰化市有半線社、柴仔坑社、阿東社等很多，漢人大都是和他們雜居，或是鄰居，所以施長齡開鑿埤圳，雖然難免時常要和他們惹起糾紛，可是他平素做人好，自然大都很容易解決，工程自然也能夠順利進行。

111

於是，逢山開山，無路開路，在這初闢的蠻荒地帶，圳路逐漸完成起來。長齡每天看見自己投下很大的資力，費盡心機的水利工程日漸擴大，快要澤惠這一帶的耕地，使良田免耽心缺水，心裡好不快活。不久，預定的工程完竣了，長齡就連日親督工人，在濁水溪趕造最後的工程，要將溪流導入。可是很奇怪的是怎樣弄，水流都不能通，不流入圳裡來。長齡好不納悶，就四出請教熟識圳水的內行人，可是誰教的方法都弄不通。這麼一來，他非常著急，暗思這條水圳，倘真的水流不通，不但前功盡廢，而且已經開墾的肥沃土地，也只好眼巴巴讓它又成為荒土。

長齡用盡了方法，都沒有效果，最後想出了一案，就令人寫了幾十張懸獎招貼，分貼在半線地方的各地，說若有人能夠使這條水圳疏通水流，願意給與一千兩銀。

* * *

3 中秋節過後的某一天，秋老虎強烈的太陽，曬得濁水溪和河岸熱氣蒸騰，好似盛夏一樣。長齡這一天又監督了

很多工人來疏水頭，他躲在楓樹下蔭處，指手畫腳在討論著幾個應募人所提出的疏流法，可是大家的臉上都顯露著發愁的樣子。

因為想不出甚麼良策，大家正無精打采的時候，只見大路的那邊來了一個老人，衣冠古樸，顎下留著半白的鬍鬚，一步一步向這邊走過來。

「各位是不是替施世榜先生開水圳的人？」那老人很有禮貌打了一揖說。

「是的。」

「那麼那一位是施世榜先生？我到他府上去，說是到這裡來。」

施長齡聽見是要找他，又看他很文雅，就不敢怠慢連忙走上前去打了一揖說：

「我就是施世榜，老先生有何見教。」

「我是看見招貼來的。施先生為這地方興辦水利，為人造福，這當然是功德無量，不過我詳細察看你們的開鑿法，有一點欠妥當，所以水流才不能流通。」

「是的，是的，願意領教。」

「先生倘不棄嫌，我當效勞，不過我畫有一張圖，待明天我帶到府上，再來討論。」

「最好，最好。」

那老人聽他說完，便掉轉頭要走。長齡看他要走，忽然想起甚麼似的，忙搶前一步說：

「我們談了半天，老先生尊姓大名還未領教。」

「小姓林。」老人笑了一笑說。

「大名呢？」

可是那老人又笑了一笑，搖搖頭，揮揮手表示不願意說，

轉身便慢慢地走開。

　　第二天，老人果然依照約定，攜帶了一張圖來見長齡。大家一坐定，他就拿出圖來，詳細說明，指摘他們開鑿法的錯誤，說那一處的丘陵太高，應該開平，那一地方的坡地過低，應該填高，那一處的水流太急，應該導緩，那一處的溝太狹窄，應該拓寬疏通。長齡聽他說得道道有理，很為心服，心內十分歡喜，就再三請他搬到這裡來住，以便指導。

　　老人經不起他誠懇再三堅請，也就答應下來，後就住在施家，每日和長齡到各地的圳路，看看形勢，指示開鑿法，長齡也一一依照他所說的方法去做。

　　長齡後來雖然好幾次問他老先生的名，可是他始終不肯說，只笑一笑說：「叫林先生就好啦。」所以大家以後也就不敢窮問，只叫他「林先生」了。這林先生不但談吐風雅，有閒暇的時候，時常到山谿溪邊去逍遙，或吟詩喝酒，飄飄然有超塵脫俗的隱逸仙人風度。

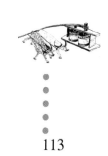

　　　　　　＊　　　＊　　　＊

4 有一天，長齡和林先生正在吃早餐，忽然有一個工人慌慌忙忙進來，對他們說：「濁水溪已開始流入圳路了。」兩人好生歡喜，連忙到現場一看，果然溪水滾滾流入圳內。從此，這濁水溪就順著圳路，流行八十里，自山岳地帶抵達大海，開始灌溉這一帶的田園。

　　長齡於是擇了一個吉日，慶祝這條圳埤的完竣。那一天，大家興高采烈，宰豬殺羊，搭棚演戲，祭祀完畢後，就擺開宴席，慰勞全體工作人員幾年來的辛苦。長齡請林先生坐上座，酒過了幾巡，他就由房裡拿出了一個紅布包的沈重的東西，恭

恭敬敬地捧到林先生面前，對他說：

「林先生，這一條水圳能夠完竣，可以說完全是先生的鼎力，這就是約定的一千兩銀，小小的意思，請你收下。」

林先生連忙站起來，打了一揖，將那紅包袱推一推，笑一笑說道：

「謝謝！可是我來幫助施先生開這條圳，是感於先生的熱忱，並不是爲了這些謝禮，請你收回。」

長齡再三苦苦相勸，可是他堅決不肯接受，過了幾天，就

一九七七年重修迄今的「林先生廟」，位於彰化縣二水鄉員集路二段二水國中對面。

收拾行李告辭，飄然不知去向。

這條水圳，長齡自四十幾歲的壯年時代起工，到了乾隆八年他七十三歲去世，歷時二十餘年，一直繼續努力經營。因為是施家獨資開鑿的，所以後來人家有的叫它叫施厝圳，又因是導引濁水溪水，所以也叫做濁水圳。這條圳當時在臺灣是規模最大的圳渠，彰化地方十三堡半，灌溉區域遍及東螺兩堡，武東、武西兩堡，燕霧上下兩堡以及馬芝堡、線東堡等共八堡，所以普通都叫做「八堡圳」。這條圳灌溉的田地達一百三十庄，一萬九千餘甲，其數目實在驚人，造福人民，貢獻增產也很大。

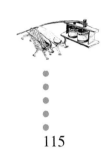

據說林先生是明朝的遺老，後來不知到哪裡去，也不知其所終。後日農民們欽仰他的德行，感他的恩德，就在現在的彰化縣二水鄉鼻仔頭庄建了小祠堂崇祀他的靈位，並配祀施長齡，春秋香火不絕。那時候有很多人做詩詞，歌頌他的功德，最膾炙人口的詩如左下：

先生無名字，不知何許人，折葦渡滄海，信腳行陽春，
當時富民侯，延座列上賓，築堤興水利，指授如有神。
功成不受賞，長揖辭金銀，聞名搭然笑，再問言津津，
天地我父母，埏垓我鄉鄰，不夷又不惠，能屈亦能伸，
五柳非吾徒，角里非吾身，孤山梅花婿，乃我有服親。

血洒
蛤仔難

1 三貂嶺是臺灣北部的一個險阻的山嶺，它和草嶺，即薩薩嶺對峙，山路崎嶇，谿澗很多，草叢樹木蒙翳，差不多四時仰頭都不見天日。據說「三貂」兩字是西班牙人佔據臺灣北部時所命名的。三貂溪就是從這三貂嶺下發源，自西方流向東方去，迂迴曲折，直達太平洋。這地方自古以來就由於地形，以這條溪做了境界線，自然而然地劃分爲兩個地界：溪北是屬於淡水廳管轄（昔日的行政區域，合現在的臺北縣、桃園縣、基隆市，臺北市、新竹縣地方），溪南則屬於蛤仔難的地界。這三貂嶺的山麓一帶，原本就居住著土著的平埔番族叫做三貂社，也叫做山朝社（現在的臺北縣貢寮鄉），越過三貂嶺就是蛤仔難的地界，蛤仔難是古名稱，後來叫做噶瑪蘭，也叫做甲子蘭，到了光緒年間才改稱宜蘭。這個地方三面環山，東臨太平洋，自烏石港到東南的蘇澳山下，綿亙

三貂嶺
1998.4.21

隧道開通之前，人們必須翻過三貂嶺，才能到宜蘭。

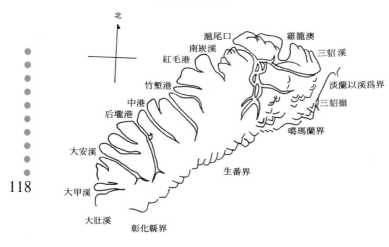

淡水廳全圖

北

滬尾口　　　雞籠澳
南崁溪
紅毛港　　　　　　　　　　三貂溪
　　　　　　　　　　　　　淡蘭以溪爲界
竹塹港
　　　　　　　　　　　　　三貂嶺
中港
后壠港
　　　　　　　　　　噶瑪蘭界
大安溪

大甲溪　　　　　　生番界

大肚溪

彰化縣界

據《淡水廳志》重繪。

約有百里，一望盡是平原，是個天然的沃壤。

乾隆末年到嘉慶初年之間，蛤仔難還是荒昧未開的地帶，滿清政府尚未把它編入版圖，這一帶散居的都是茹毛飲血的原始民族，這些未開的番社共有三十六社。但三貂社開化卻比較早，老早就有漢人雜居著，和這裏的平埔族做些交易的生意，他們經常是從外地運入布、鹽類和平埔族交換鹿角、鹿皮、鹿脯（鹿肉晒乾的肉干）以及藤類運出去賣。

這裡的漢人之中，有個姓吳名沙的，他生來落拓不拘小節，平素做人又很好，有義氣，肯替人排難解紛，所以在這一帶很有人望，顯然形成一個很大的勢力，可以說是這一帶漢人的首領。這吳沙本是福建漳州府漳浦縣人，於乾隆三十八年，四十三歲的時候，才由原籍來臺灣的。他生來很有冒險心，年少時瞧見鄉里人一批又一批到臺灣去，而且又聽見那些人個個都很發達，個個都在那裏建家立業，他心裏老早就很憧憬這新天地，很想到那裏去轟轟烈烈地幹一番。到了乾隆三十八年，四十三歲的時候，這個願望才得實現，他便趁這個機會，跑到臺灣來，還特別擇了一個荒昧初開半原始地帶的三貂社，把全家都移到那裏和平埔族雜居。

他定居三貂社後也是做著山地產物交易的生意。本來這裏的平埔族因爲還在過著半原始生活，頭腦單純，一點也沒有經

118

濟觀念，所以普通做著番產交易的番割，都欺他們無知，經常是以小換多，瞞騙他們，用不正當的手段去剝削他們的。可是吳沙不但不願意這樣做，而且很重信義，交易不論大小都很公道，一點也不欺騙。凡事對他們又很幫忙，所以遠近的平埔番，都喜歡和他交易。因此，他的生意也特別興隆，比任何人都做得多。

　　吳沙生來又有俠氣很好客，從大陸來臺灣北部謀生的人，有的做事業失敗，有的找不到工作，走投無路時來找他，求他設法的時候，他一定滿口答應，把他收留起來給他工作做，使他安頓下來。可是後來來歸附他的人越來越多，實在無法應付了，他於是想出了一個辦法來，凡是來投他的人，等待那個人安頓好了，便每人給他一斗米、斧頭一把，還供給住處，叫那個人入山去伐木抽籐，運出來賣，好得自給，免得再依靠人。因此，他的威望愈加好起來，北臺幾乎沒有人不知他的大名，來歸的客人也愈來愈多起來了。

119

*　　*　　*

2「你看這片平原多麼寬廣，土壤多麼肥沃，真是名不虛傳。」

　　吳沙俯下身去隨便拾起一撮土來看，這樣說。

　　「喔！是的，果然是個好地方，我們那班人倘若能夠遷到這裏來開墾，那多麼好。」

　　他的弟弟吳立看看背後的大海，望望眼前盡是深草密菁的原始荒埔，不禁喊嘆地這樣答。

　　「這地方實在大有可為，我們應當早點設法來開闢，建設一個新的天地才是。」

吳沙過去的信心，似乎更加堅決似的，那對炯炯有光的大眼睛，露著無限的喜悅。

吳沙本來就知道越過三貂嶺，叫做蛤仔難的這個地方，是個未歸入版圖的化外番界，這一帶平原萬頃，而且是膏腴的沃野，只是地廣人稀。這裏蒙昧未開的原始民族又不懂得耕耘，所以全部土地都還是未開墾的荒埔。他又聽過在他還未來臺灣以前，乾隆三十三年，曾有個漢人叫做林漢生，率領一班人進入這個地方，想從事開墾，可是因為和土番惹起紛糾，雙方動武起來，終因寡不敵眾，林漢生被殺，一齊來的人被殺的被殺，逃得快的也都跑回去，所以墾殖計劃也成了畫餅。這幾年來，來投靠他的人越多，但是三貂社又是個山地，不宜耕作，無從發展，他已深深感覺這地方終非久居之地，所以心裏老早就想首先到那裏去開墾了。

春末夏初的一天，剛好有番割許天送、朱合、洪掌等三人要到蛤仔難去做生意，順途來找他。恰值他這時候空閒著，所以就決定趁這個機會和他弟弟吳立兩個人跟他們實地去勘查看看。他們一行沿著三貂溪走下去，一路越山爬嶺，取途隆隆嶺、大里簡，經過了兩天才到達了這個烏石港。

他看見這山明水秀的地方，第一印象就很好，覺得開發這草昧未開的蠻荒地帶，建立萬世的基業，也正是平生的宿望，所以在心裏深深地決意，不論有甚麼困難，這工作非完成不可。

吳沙兄弟又由許、朱、洪等三人嚮導，看看附近一帶，知道這裏到蘇澳山下，盡是肥沃可耕的土地。他經過了這番的考察，胸中早有成竹，歸途便和他們相量，說道：

「我想這麼廣大的好土地，不應該讓它老是荒埔，這實在太可惜了。就是為了我們那一班人，開發這地方也是一個最好的

出路。」

「是的，這是一點也沒有疑問的。」吳立說。

「沙哥如果眞的要來開墾這個地方，我想是應該早點著手的。我們比較熟識這裏的情形，倘需要我們的話，自當效勞幫忙。」許天送說。

「倘能夠得到幾位老大哥幫助的話，那再好也沒有了；不過有一點困難，人力我想我們是沒有問題，馬上要幾百個人隨時都有，可是這麼廣大的地方的開發當然是要大規模的，也要武力來保護的，還要準備了糧食和很多工具才行。不然，無濟於事，絕對難得成功，而且一旦被土番襲擊、阻撓，就無法抵擋，事業立刻就要垮臺。總是，這大規模的開發並不是赤手空拳做得到，是需要一筆偌大的資金，我們那裏來得這筆錢。……。」吳沙說。

「是呀，這筆資金呀……。」許、朱、洪三人也同意他的意見說。

「大哥，淡水的柯有成不是很有錢嗎？他和你很要好，況且對這種事業又很有興趣，我想去和他談談，請他合作，也許向他告借或者肯答應吧……。」

「嗯，這倒是很好的辦法，還有何績、趙隆兩個人，同他們談談，或者願意幫忙。」

他們回到三貂嶺後，吳沙又匆匆忙忙動身到淡水去，和柯、何、趙等人商量。他們一聽吳沙的話，果然慷慨答應下來。吳沙好不歡喜，返回三貂嶺，便開始籌備，一面購備糧食、工具、武器，一面將投歸他的那班人，願意參加的登記起來，還招募新人來參加，並且約定從烏石港附近著手，然後漸擴大去，他爲了這件事事，整整忙了幾個月，勉強才算就緒。

3 他們在正式開始開墾之前，為使這個計畫周密完全，經過了好幾次的勘查，還派了小部份的人先到那裏去開拓試探。

嘉慶元年（一七九六年）的秋天，大規模的籌備，也終告完成了。應募的游民一共有一千多人，以籍貫來說：有福建的漳州人、泉州人、廣東的客家人，但以漳州人最多，其中還有懂得番語的二十三人。吳沙還從全部的參加人員中挑選出身體健壯的年輕人二百餘人做鄉勇，把他們武裝起來，好來保護開墾。於是在九月初，他就將這些人分為幾批，在鄉勇衛護下，佃農殿後，陸陸續續向烏石港進發。他們採取這種方法，當然是要避免土番的注意，讓開墾能夠順利進行的。

吳沙率隊翻山越嶺開拓蛤仔難（噶瑪蘭），原路後來整修為官道，台灣總兵劉明燈在途中立碑，今存於草嶺古道。

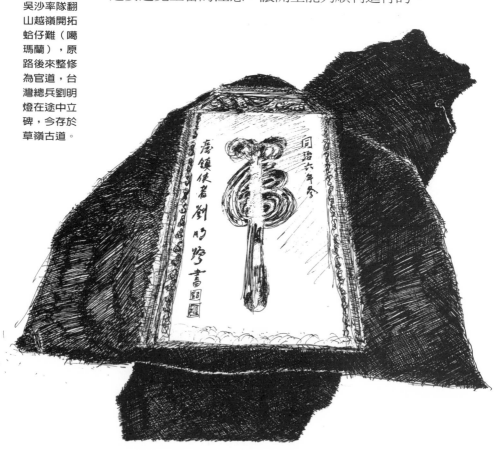

到了九月十六日，全部的開荒人員都抵達目的地，說也奇怪，當他們一批又一批源源而來的時候，平素兇悍的土番卻始終沒有出來干涉，所以他們一點也沒有遭遇到阻撓。他們抵達烏石港後，便在港的南方一面搭起茅屋，著手開墾，一面用土在其南方和番社的境界，築起土圍，還把鄉勇分配部署起來防備，把這地方當做開墾的根據地。吳沙看情形已稍有頭緒，立刻派那些做過番割，通番語的人攜帶鹽、布、米、鹽等禮物分赴各番社，去拜會甲螺（番頭目）連絡。因為這是在宜蘭地方第一個築造的城圍，所以後來大家便把這地方叫做頭圍或是頭城。

蛤仔難的土番三十六社中，在這烏石港附近的，有打馬煙社、幾立穆丹社、抵美簡社、哆囉妙婉社等幾個社，他們都不懂得耕作，平常只以打鹿鏢魚來生活。當吳沙一班人初到時，他們只見那班人掘土地，播著種籽，所開墾的土地又不大，而且他們又有派人來拜會過，所以也就不去干涉，任憑他們去耕作。可是開闢的土地一天一天擴大，而且不但茅屋一座一座建立起來，又築起了土圍，來的工人一天一天多，他們也就漸漸驚怕起來了。

*　　*　　*

④　有一天，東方的天空才發白，吳沙和這班人才起身，梳洗完畢，忙著早飯時的時候，突然，遠遠地咚咚咚地響起了鼓聲，而且在鼓聲之中，還夾著嘩嘩的吶喊聲。吳沙覺得很詫異，連忙停下筷子靜聽，只聽得那鼓聲吶喊聲好似越來越近，顯然帶著殺伐的氣息。他這才恍然明白發生了大事。於是把碗箸一丟，站起身來，正想跑出去看個究竟，只見姪兒吳化

推開茅屋的板門，慌慌忙忙跑進來，氣喘喘地說道：

「叔父，大事不好了，土番從三面包圍來了。」

「哦！真的來了嗎？你們趕快去吩咐大家要堅守部署，沈著應付，不要讓他們竄進來，來一個殺一個。非戰鬥員集中到公廳附近來，擂鼓鳴金助戰……。」

「是的。」

吳化和隨後跟他跑來報告的人，一聽完命令，便轉頭飛也似地分別跑到土城的各角落去傳令。吳沙便跟在後面走向公廳去，召集吳立、許天送、朱合、洪掌等人商量對策。

一會兒，漢人這邊的鼓鑼也響起來，土番已迫到土圍外不遠的地方：有的隱伏在草叢裏，有的躲在樹林裏，有的藏在竹林裏，咚咚咚地打著鼓，嘩嘩地吶喊，各人手執鏢鎗、竹弓、短刀等武器，背著竹箭，他們上身都穿著肩甲狀的番布單裼，下身裹著一片番布，遠遠地看來，好像赤身一樣。忽然颼！颼！幾聲，土番射出竹箭，土圍內也從鎗眼砰！砰！開出土鎗，雙方的鑼鼓聲，助威的喊殺聲，越發大了起來。隱伏在草叢裏的土番，彎著身子偷偷地向土城前進，想衝過去。可是土城內的防禦很嚴密，他們不是在中途中鎗倒地，就是衝進土城裏去的，也都中伏被漢人捉去。

吳沙和許天送等商量對策完畢後，便和弟弟吳立巡視各要地，一看見俘獲的土番，便吩咐不要殺害，要好好地對待他們，暫時一個個把他關起來，等待發落；負傷的土番當然更要一一醫治。他們來到戰事最激烈的北方一角時，吳立看見守衛的鄉勇很忙，便走去幫助他們搬運火藥。他到來城邊，心裏好奇，想看看外面的情形，便爬上城圍伸出頭去，當他正看得出神的時候，只聽得颼———聲箭響，他便「哎唷！」一聲倒地，大家連忙把他抬到公廳去醫治，可是土番的箭都塗著毒

藥，醫傷的藥都沒有效，不久便死了。

土番雖然拼命要攻入土圍，但是漢人的防守很鞏固，毫無間隙，每次都把敵人擊退。血氣方剛的青年人，一看土番的攻勢稍挫，便向吳沙建議：

「我們索性殺出去，把他們消滅，來得乾淨。」

可是吳沙卻搖搖頭阻止道：

「不行，我們要以德服人，只叫他們懂得我們的意思，是要把這個地方建設開發起來。我們要忍耐，慢慢他們就懂得我們的意思。」

125

雙方就這樣對峙到夜晚，土番看看沒有勝算，才呼嘯一聲撤退。

第二天，第三天，土番都來圍攻，但吳沙們的防守越有經驗也越巧妙起來，所以土番的損失也越慘重。可是吳沙仍嚴格約束鄉勇，不准他們出擊。過了幾天，大規模的攻擊漸漸變成零星小戰，再過幾天也漸稀疏了。據說土番們因為每次的戰鬥都吃敗仗，懷疑這些漢人一定有神明幫忙，所以也就不敢來了。

吳沙看他們雖然不來，可是仍不採取強力去加壓制，依然用各種手段，務使他們心服，許天送奉了他的命令，帶了幾次戰役的俘虜，去見番社的甲螺講和，交還那些被俘的土番，並告訴他們說：

「我們奉官府的命令來保護你們的，因為官府得到消息，知道不久海賊會來佔據這個地方，你們的武力有限，萬一被他們侵佔過來，一個個都沒有性命。我們的開墾不過是駐兵屯田，這完全是為保護你們的一種手段。」

土番因為很早以前這個地方曾被林道乾等海賊侵佔過，一聽這話已有幾分害怕，而且看他們又這樣好意，送還俘虜，心

吳沙夫人墓位於宜蘭四城火車站附近，活動中心前方，依然面對早年原住民出沒的中央山脈 。

1998.3.2

裏對他們的話雖然仍半信半疑，可是也就答應下來，不再去攻擊了。

雙方以後雖然沒有甚麼大的衝突，可是，土番依然是採取著敵對的態度，小糾紛還時常發生。吳沙深深相信，開墾荒埔，對雙方都有利益，而以德去感化他們，教化他們，那麼互助合作，這開發才會成功，也才有意義。所以他還是嚴約大家要忍耐，對土番多做好事，以至他們死心塌地信服為止。

＊　＊　＊

5 第二年的春天，正是桃花凋謝的時節，附近番社忽然流行著駭人的天花；土番發了熱，渾身發了痘瘡，只十餘天便死掉。任憑他們吃什麼藥都沒有效果，而且來勢兇猛，不多久，死者相繼，弄得各番社的甲螺都束手無策。大家都說這是觸犯這個地方的神

怒，人心惶惶不安，議論紛紛說不如整社遷到別地方去。

土城的漢人雖然也有人染著這病，幸得吳沙自大陸帶有祖傳的秘方來，祇連續服用了幾劑，便可痊癒。吳沙聽見在各番社這種瘟疫如燎原之勢猛烈蔓延，各番社都在計劃遷徙，覺得這正是對他們施恩的好機會，連忙帶了藥方，託洪當、許天送等人帶路，到打馬煙社去，找了甲螺，便將來意說明一下，說他的藥是怎樣有效，特地來這裏救人。但是那年老的頭目，似乎不大相信他的話，吳沙再三強調他的秘方的功效，叫他帶他到病人的家裏試試便知，他才勉強地帶他們到病者的地方去。病人的家眷，初時也懷疑這是漢人搞的什麼鬼，不肯吃他的藥。但經吳沙們再三苦勸，他們或者是被吳沙的熱忱所動，才勉強吃下他投的藥方。可是很奇怪，一會兒，熱居然漸漸退下來，紅斑也開始退紅。後來又依照吳沙的指示，吃了一兩劑，果然便霍然痊癒了。

這消息一傳出去，各社都相繼來求他醫治，初時吳沙是自己去，後來求醫的太多，無法應付，才託懂番語的人帶藥分頭去醫治。這樣忙了兩三個月，雖然不能把病人個個都救活，但被醫好的算起來竟達一百多人。過去對他們還採取著警戒態度的土番，於是觀感一變，把吳沙等漢人當做神尊敬起來了。

有一天，守土城的鄉勇來報告吳沙，說土城外有十幾個番社甲螺來求見。吳沙暗料又是為了天花的事，連忙吩咐請進。一會兒，十幾個番社甲螺進來，後面跟著好多番丁扛著鹿脯、鹿皮、鹿角等物放在大廳，雙方坐定，年長的抵美簡社甲螺，便代表大家說道：

「這次各社的天花，倘不是吳先生出來施救，恐怕各社大半都要滅亡，所以我們特地來道謝！」

「那裏，那裏，大家同是住在這個地方，這樣的事情本是應

該做的事。」

「我們各社商量的結果，除了這些小意思之外，我們還想獻上一部分的土地，聽憑你們去耕作，好讓你們能夠永遠住在這個地方。」

這當然是吳沙求之不得的事情，推辭了幾句便也就接受了。於是抵美簡社的老甲螺又說：

「我們的習慣，這件事還要舉行一個儀式，埋石咒誓才算決定，這個儀式最好是明天舉行。」

「好的。」

雙方這樣決定，他們放下了禮物便走了。

第二天的大清早，吳沙們拓荒團的重要人物和各社的甲螺，便在土城外的番界集合，那個地方預先準備一塊很大的石頭。儀式開始，首先由各社的甲螺依次在石頭前立正，念了宣誓詞，表明他們願意將土地交給吳沙，永遠供他們耕作，然後由吳沙宣誓詞，言明願意接受。

吳沙後來又繼續受了各社的獻土，一年之中，一共得了數十里的土地。過去雙方的隙嫌，經過這番周折，已經一掃而空，墾地於是一天天擴大。吳沙心裏好不歡喜，一面極力墾拓土番所獻的荒埔，一面復開始招募墾民。

129

*　　*　　*

6 初夏的一天，東方破曉不久 ，太陽剛從聳立太平洋的龜山嶼冉冉上升的時候，只見眼前一望無際的碧濤中，殷紅的晨曦衝開海上的朝霧，映照孤聳靈峰，遠遠地從頭城看起來，那美麗的景色實在是很難形容的。這也正是蘭陽八景中的「龜山朝日」。

蘭陽八景中的「龜山朝日」。

130

　　吳沙站在門口的庭院，不覺茫然鑑賞這幅天然的美景。忽然，遠遠地從剛剛開墾的田間走來了兩個人，那兩人都穿著長袍，顯然不是這裏的墾民。一會兒，他倆漸漸走近來，其中的一人高舉起右手，喊聲：

　　「沙哥！早呀。」

　　他從那聲音和形體，知道是老朋友黃友，連忙走出去，也舉起手，大聲答道：

　　「友哥，甚麼風吹來，這麼大清早就來到。」

　　他於是延請兩人入內休息，由黃友介紹，才知道另外一位是姓蕭名竹，也是漳州府龍溪人，是個讀書人，平常喜歡遊山玩水，吟詩作詞，三年前來臺灣，這一次，聽見黃友要來新闢的蛤仔難，他便興致勃勃，特地跟他來遊玩。

　　吳沙本是個好客的人，聽見這位老友說他是個有學問的讀書人，便更加敬重，以禮款待，閒時便和他說起開墾情形，倆人談得很投機，後來有甚麼事便和他商量，請教他。兩個月後，黃友要回淡水的時候，經吳沙再三的挽留，本來就像閒雲野鶴，遍遊天下的他，也就留下來了。

　　吳沙自蕭竹來後，無形中得了一個足智多謀的軍師，蕭事事為他計劃、策謀，所以開墾也益加迅速地發展。這一年的秋天，吳沙便赴淡水廳（這時候是設在現在的新竹市）領墾照，

由淡水廳批准，還頒給一個「吳春郁義首」的戳印。回來後，他益加大規模招募佃農，還訂立鄉約，做為大家遵守的規則，約束大家；此外，徵收租穀，架橋築路，還在沿山的隘口，設立了隘寮十一所，稱為民壯寮。募集壯丁去把守，每隘有十餘人至五、六十人不等，不分晝夜，擊柝逡巡，保護來往的旅客。這樣，地方安定下來，從事開墾的佃農，也就漸漸帶家眷來，建築房屋，作永遠居住之計。

吳沙的收入跟著這地方的開發，愈加富裕，他於是又用餘力開墾到二圍。

他這時候年紀已很高，自計劃開闢這地方以來，真是冒盡困難，歷盡艱辛，宜蘭平原的開發基礎，可算已經奠定，到處都是阡陌連互了。但他的身體因為勞瘁過度，已經很衰弱了。到了第三年（嘉慶三年，西元一七九八年）的冬天，偶然因為受了涼，病竟漸漸地沉重起來，他自知不起，便吩咐將沿海各地分給開墾有功勞的人。在十二月初九的嚴寒的晚上，以六十八歲的高壽，和這世間長辭。

吳沙死後，便由他的侄兒吳化起來主持這墾殖的大事業。這吳化本是跟叔父吃盡酸苦的人，不但有經驗，人又很能幹，經過了十多年後，整個宜蘭平原完全開發繁榮起來，而和漢民族雜居的平埔族也漸漸被同化了。

嘉慶十二年（西元一八○二年），吳化又幫助澎湖副將王得祿在蘇澳圍攻海賊朱濆，建立功勛。海賊平定後，吳化就請求清廷把蛤仔難編入版圖。嘉慶十五年，此事實現，正式劃入，並且改稱為「噶瑪蘭」，到了光緒元年，又改名為「宜蘭縣」。

吳沙的故宅遺跡，是在現在的礁溪鄉四結村。現在蘭陽地方的故老一提起宜蘭的開發，對吳沙的功績，都還念念不忘。

先鋒旗手
王得祿

王得祿被追贈官至太子太保，歸葬在今嘉義縣太保鄉，墓前有石雕文翁、武翁像，一八四四年造立。

① 王得祿自被哥哥趕出了門以後，已是無家可歸的「羅漢腳」了。他白天有時候在街上徜徉，有時待在賭窟看看人家賭錢過癮，看膩了，就和一班「羅漢腳」們聊聊天，看看戲，到了深夜，才懶洋洋地又回到破爛的土地公廟睡覺去。

現稱嘉義的諸羅在乾隆年間，可以算是臺灣的一個大城市。它原是一個縣城，因為是交通的要道，所以除了衙門，各形各色的店舖可以說應有盡有，市面非常熱鬧。

得祿的曾祖父叫做奇生，本是江西人，在康熙年間，朱一貴發動反清復明運動的時候，曾當了一名「千總」來臺灣打仗，就在鳳山陣亡，事平後遺族也就定住臺灣，後來才移到這諸羅來居住。得祿自幼小的時候，父母就雙雙亡故，所以他一直是在哥哥和嫂嫂手裏養大，尤其是嫂嫂許氏異常疼愛他，可以說無微不至，她照顧得祿，比她自己親生的兒子還要周到，所以事實上就是等於他的母親。

得祿雖然生得體格魁偉，臂力又強大，但是本質卻很善良。他有一個很大的缺點，就是行為很壞，自小就和一班不良少年交遊，不做正經事。而且學起賭博，每賭到沒有錢，初是

藉詞和哥哥、嫂嫂要，後來次數一多，不敢開口，就時常偷了人家的東西去賣。等到哥哥、嫂嫂發覺，初是好言勸解，卻沒有改過，哥哥惱了，就責罵或揪起小辮子打他。這時候大都是嫂嫂出來解圍的，她還待哥哥不在時，三番兩次背地苦勸。只是他的賭癖、盜癖不但沒有改變，反倒厲害起來，盜到沒有東西可盜，後來就連人家曬在竹竿上的衣服，以及女人纏足用的布帛，都盜了去賣。所以人家都鄙夷他、輕蔑他。有一次，這事竟被哥哥知道，哥哥氣得滿面通紅，一見得祿回來，一把手就扯住他的胸襟，「啪！」的一聲，就是一個耳光，大聲道：

「你這不要臉的壞蛋，我們的家名都被你敗壞了，幾代清白，都被你污辱了；快給我滾蛋！從今以後不要再來見我。」

這一次，任憑嫂嫂怎樣排解，哥哥都不聽，於是，得祿就被放逐出來，流浪諸羅城的街上了。

＊　　　＊　　　＊

② 得祿自被哥哥趕出後，大家越瞧不起他，他已漸漸覺得自己做的事是可恥的，好像街上的人都白著眼看他、唾罵他，他想：「這樣繼續下去，自己只有死路一條，應該找一個正經的職業來做，重新做人纔是。」可是自小遊手好閒，不務正業，沒有一技一藝，那裏找得到甚麼職業呢？就是這「羅漢腳」生活，也漸漸難支持下去了。自被趕出家門之後，嫂嫂雖然時常暗地資助他，可是這究竟是有限的，自己又不敢去向她要，所以這幾天來就沒有吃過一頓飽飯。

有一天，他正嚼著「羅漢腳」朋友給他的一口檳榔，慢慢地踱著街，忽然看見街角圍著很多人，好似在觀看貼在壁上的甚麼似的，他走近一看，原來是一張官衙募兵的告示。他肚子

雖然餓得咕嚕地在響，只是他好似感觸到甚麼的，不覺地兩眼盯住告示看，心中浮上了「好！當兵去吧」的念頭，只是一霎時，這個念頭又好像受著甚麼打擊似的，立刻又消散下去，他站了很久才離開告示。

他的哥哥本來有過好幾次勸他當兵，可是他素來是以為「好鐵不打釘，好子不當兵」的，有點自尊心，以為自己是好子，不應該去當兵。所以每次都答哥哥說：「不願賺生命錢」，而加以拒絕。只是這一次他的想法卻有點不同，他覺得當兵有點意思，是為國家效勞的神聖工作，好子不但應該當兵的，而且當兵也未必一定就是賺生命錢。

「當兵好呢？還是不當好呢？」他懶洋洋地回到土地祠，躺在神案下禾草堆上，翻來覆去，在他腦海裏不斷想這問題，到了更深了，他怎樣想睡，都是睡不下去。

他睜著眼，凝視著神案底，忽見鶉衣百結，囚首垢面，飢寒交迫，怪可憐的乞食狀；忽見殺得天昏地暗，屍山血海的戰場……，幻影一幕幕在他眼前浮閃過去，可是他也不知道是什麼時候了，意識朦朧地睡下去，遠遠地出現一個慈祥和藹的白鬚老人，手拿著拐杖，慢慢地一步一步來到他面前才站住，他覺得很面熟，不過一時想不出是誰。老人懇切地對他說：

「得祿，你還是去當兵的好，前途是無限量的。」

「哦！真的嗎？」得祿倉卒間不知道怎樣答話纔好。

「我告訴你，你的命是有福分的，你倘去當兵，前途是無可限量的。要緊記著呀！明天快去報名，快去準備……。」老人反覆再說，一轉頭便不見了。

他霍地坐起來，擦擦眼，原來剛纔是一場夢。天已發亮了，他坐在破碎的草蓆上，回想夢中老人的話，猛地抬眼一看神龕，原來那老人就是這土地爺，一會兒，他好像得到甚麼啓

示似的，自言自語道：

「好！那麼我當兵去。」

他下了決心，爬出神案，草草抹了臉，就跑出土地祠，朝向自己的家那一方向走。

南國的早晨，本是很清爽的，他今天特別覺得更清爽，不但剛從東方的山上爬出的紅烘烘的太陽，特別可愛，就是在樹上婉轉啼叫的鳥鳴，也特別清脆悅耳。田間悠揚地飛翔的白鷺，更好像在象徵著甚麼似的。……他覺得今天這一切的一切，都在慶祝自己的新生，預祝夢中土地爺所說的自己的前途。

他來到自家的門口，忽然又躊躇起來了，雖然知道哥哥不會反對，可是又覺得不好意思直接對哥哥說，於是他打了個圈，由後門進去，到廚房告訴嫂嫂，託她轉告。嫂嫂一聽他說完，很歡喜說：

「你哥哥一定會贊成的，我去告訴他，你不要走。」

她連忙停了工作，揩揩手，到房裏去告訴哥哥。一會兒，嫂嫂折返來說道：「果然不出所料，哥哥不但贊成，且是很歡喜，喊你進去，以便商量準備。」他於是見了哥哥，就跑到募兵報名地點去報名，然後回家整理行裝。

得祿的家，老早就已中落，哥哥是貧窮的，只靠耕一點田地過活，所以對於籌備旅費，整備行裝的事，煞是費了苦心。幸而他的嫂嫂賢慧，拿出她的比較值錢的簪釵去當，給他整備行裝和零用錢，這樣，難關總算打過了；只是他一雙與眾不同的大腳掌，找遍了市上的鞋舖，竟買不到合穿的鞋子。嫂嫂聽到了這話，馬上不分晝夜，為他縫製兩雙大布鞋給他。這約莫一尺來尺的大鞋子，真是世上少見，他很寶惜這鞋子，穿上一雙，剩下的一雙就緊緊縛在腰間，抱著無限的希望入伍去了。

3 乾隆五十一年的冬天，林爽文和天地會的黨徒，攻城略地，勢如燎原之火，不久，不但得祿的故鄉諸羅被他們攻陷，整個臺灣的南北，幾乎全部都落在他們的控制中。

得祿自入了營後，就被調到內地去。起初，他是充作馬伕，或雜役之類的小卒，但他體格粗大，臂力又很強大，而且決意重新做人，所以做事勤勉耐勞，於是不多時，便被選拔出來，充當「先鋒旗手」。

五十二年，臺灣的情勢愈加惡劣起來，滿清政府就派了大將軍福康安調遣大兵，於十月從鹿港登陸，從新部署，以便和林爽文的叛軍決戰。得祿就在這時候，跟著所屬的部隊，回來臺灣。

福康安的軍隊，於十一月克復諸羅城，局勢逐漸扭轉，得

王得祿曾經參與督建的諸羅城——摹自清朝古版畫。

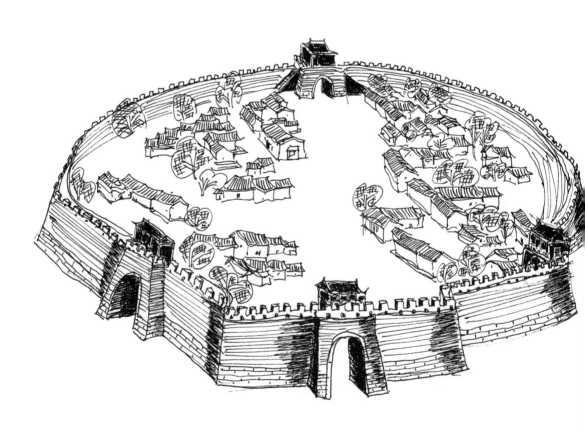

祿的軍隊不久就向林爽文發動叛亂的根據地彰化的大里杙進攻。

有一天，林爽文的叛軍利用冬季的雨天，展開反攻擊，突然開始襲擊，得祿的軍隊沒有防備，遇了奇襲，倉惶應戰。因爲是奇襲，且爽文的軍隊，正是窮鼠噬貓，來勢兇猛，官兵在猛烈的反擊中，只得向後面潰退。得祿雖然勇敢，只是在這敗勢之中，無能爲力，只有跟著大家拼命向後跑。

137

「噯呀！我的鞋子那裏去呢？」

突然他一手拿著軍旗，一手摸摸腰間，發現嫂嫂給他縫製的鞋子，不知道甚麼時候失落不見了。嫂嫂給他的兩雙鞋子，一雙已經破了，這一雙是寶惜得捨不得穿，一刻不離身，縛在腰間的，在他是比性命都更爲重要的。因爲在他的腦裡，這是等於母親的嫂嫂給自己的紀念品。他著急得幾乎要哭出來，臉兒頓時失了血色，心兒悸動，忽然他又摸摸腰間，好像想起甚麼似的，猛的翻轉身子，朝向剛才敗退下來的路走。

爽文的叛軍，看見這些敗北的官軍，突然撐起旗幟，翻身猛衝過來，大家怔一怔，以爲官軍又是在弄甚麼策略，便頓住了腳，望著前面，躊躇不敢前進追趕。後面的官軍大概是覺得有點異樣，翻過頭來一看，只見敵軍忽然停止前進，而且自己的先鋒旗轉身向前追奔過去，大家摸不著頭緒，以爲援兵到來，立刻恢復了勇氣，嘩嘩一陣喊聲，轉回頭追隨得祿的先鋒旗，鼓噪反撲過去。得祿看見前面的敵軍，突然停步不敢追趕，而且後面自己的軍隊也喊起聲來跟著自己反擊過來，他忽然計上心頭，也大喊起來，更加大張著步，大搖著旗，猛追過去。爽文的叛軍一看，更加驚惶起來，措手不及，紛紛潰走，於是敗退下去。

得祿在這一次的戰役中，以轉敗爲勝的奇功，上峰論功行

賞，一躍而陞進「千總」，並賞戴花翎。

＊　　＊　　＊

4 乾隆、嘉慶年間，福建、廣東省境內的海面，有很多海賊搶劫來往各地的商船，殺傷旅客。這些海賊，是以蔡牽、朱濆為首魁，勢力強大。他們還時常襲擊擾亂臺灣沿海各地，居民備受其苦，所以後來臺灣有句諺語，譬喻窮兇惡極的人謂：「你這個人比蔡牽更惡。」由此就可以知道他們是怎樣兇惡，臺灣吃過他們的苦頭是怎樣大了。

得祿於嘉慶五年，就奉命討剿這些海賊。連年東征西戰，全無休止。後來他在安平剿滅蔡牽，在鹿耳門破林略、傅琛，在雞籠擊潰朱濆之後，海賊就漸漸少起來。他因連續建立這麼大的功勞，官陞至總兵，他的英名也名聞一世。

有一次，蔡牽又帶了一隊海賊船，來襲擊臺灣的一個海岸，叫做洲仔尾。賊船都沿著海岸停泊著，岸上的官軍一聽蔡牽又來犯境，馬上趕來迎敵，因為海賊驍勇善戰，不一刻，官軍慘敗潰走，賊軍於是乘勢追擊，佔領了市鎮。

得祿得到了這個消息，馬上派了艦船，從海上包圍賊船，又派了一支軍隊沿著海岸線，從陸上去接應，自己則帶領大隊兵馬，去剿佔領市鎮的蔡牽。賊船上的海賊，因為兵力分散，經不起陸海兩路的夾攻，全部被殲滅，官軍於是把船上的兵糧財物搬走一空，然後將船隻全部炸沉焚燬，以斷蔡牽的歸路。

蔡牽知道得祿來剿，本已有點戒心，後來又得悉停泊的船隻失利，全部被擊沉的消息，就更加心慌起來，所以雙方的軍隊，一經接觸，就潰不成軍，頑強的蔡牽的海盜逃走的逃走，被擒的被擒，幾乎全部覆滅，只有蔡牽和小部份的海賊們僥倖

逃出臺灣。從此蔡牽就成了強弩之末，沒有以前那麼凶狠了。

嘉慶十四年八月，浙江提督邱良功於定海的魚山追擊蔡牽，得祿也率了福建、浙江的艦船，從南方截擊過去。蔡牽的船被邱良功追擊，過了黑水洋，看見綠水，正要乘風逃出外洋，忽然得祿的艦隊追到，而且雙方船隻很接近，於是展開一場猛烈的海戰。在這鮮血染海，殺聲沖天的海戰中，蔡牽終於經不起前後夾攻，炮彈用盡，以番銀充做子彈應戰，官軍也用大砲轟擊，於是惡戰更加慘烈，砲煙蔽滿海面。

139

「嗳呀！」

在艦船上指揮的得祿，忽然大叫一聲，頭額的右邊中了子彈，「撲」的倒下去。他左右的隨從，不覺大驚，慌忙走近，正要扶起他，得祿忽又霍的跳起來！大聲喊：

「我不要緊，殺！殺！殺過去。」

蔡牽看見自己的船一艘一艘沉下去，大勢已去，知道已無法逃脫，於是命令將船中剩下的火藥點起火，自沉他的坐船自殺，妻子們也同時沉入海底滅亡。

從此在福建、廣東兩省海面，猖獗一時的海賊，經過王得祿長期的征剿，纔告絕滅，海上的交通得以保全，沒有阻礙了。

王得祿有剿滅海賊的大功，滿清皇帝就封他二等子爵，賞戴雙眼花翎；亡故的嫂嫂許氏，也受追封一品夫人。

劉銘傳退法兵

劉銘傳於清法戰爭後，在法兵曾經登陸的二沙灣山崗上，建「海門天險」砲台，砲口對著基隆外海。

1 同治、光緒年間，滿清政府是在走下坡的時期，那時候，內憂外患交迫，列強都競相以武力來恫嚇他們，以便攫取權益。光緒十年，法國又弄起這套老法寶來，藉口安南問題，進攻福建和臺灣，因而和中國發生了小規模的戰爭。這一年和第二年，法國艦隊封鎖臺灣，法軍還先後攻佔基隆、滬尾（即淡水）和澎湖；可是經全臺軍民英勇抗戰，始終無法越過港口一步，困守一地，後來因為中法天津條約成立，才告結束。史家稱這一戰役為甲申中法戰爭，臺灣同胞則叫做「西仔反」。

二沙灣砲台

指揮這一戰役是首任臺灣巡撫劉銘傳，臺胞通稱叫做「劉撫臺」，他不但擊退了法軍，使臺灣轉危為安，前後六年的任內，還曾建立了卓越優異的政績，如臺灣建省，鋪設鐵路，架設海底電線，創設新式學堂，架設電燈，開辦軍械製造，辦理撫番，田畝清丈……等都是在他手裡創始的，日人竊據本省後，各種建設都是根據他的藍圖，加以發展而已，所以他可以說是臺灣近代建設的恩人。

劉銘傳是安徽省的合肥人，道光十六年，生於這地方的西鄉大潛山下的蟠龍墩，家境雖然很好，可是他幼時的頭腦並不甚聰明，也不十分喜歡讀死書。到了十五歲的時候，有一天的晚上，他覺得有點疲倦，入夜就爬上床去睡，到了深夜，朦朧之間，覺得自己在一個無人的曠野徬徨，忽然有一隻老虎舞著爪向他追過來，他驚得拼命奔走，可是那猛虎並不放鬆，越追越近，於是咆哮一聲撲過來，他駭怕得「救命呀！」大叫一聲就醒過來，這時候，驚得周身是汗。以後他就和以前判若兩人，非常聰慧，也喜歡讀起書來。

咸豐元年的秋天，洪秀全從廣西起義，不久席捲長江以南的半壁天下，建國號為太平天國。當這天下亂糟糟的時候，各地都紛紛辦起團練，好來自衛。可是這種組織大都被地方的土豪把持，做他們作威作福的工具，他的這鄉村也是一樣，操縱在土豪手裡。

銘傳的父親和這團練也有關係，職務是負擔著團練的供給。有一天，主持團練的土豪，喚銘傳的父親來詢問，那土豪本存心和他為難，故意騎在馬上，開口就責問為甚麼不能按照規定的期間繳納供給物。銘傳的父親極力辯明理由，但他不但不聽，反而大聲怒罵，才揚長而去。

銘傳的父親垂頭喪氣回家，便將這事情告訴兒子們，大家

雖然很憤慨，可是也無可奈何。銘傳從書塾回來，聽見哥哥們面形忿怒，正在討論甚麼事，也就參加進去問起，才知道父親受辱的事。他不聽便罷，一聽這話，氣得滿臉通紅，擊著桌子說：

「你們聽見這話，還忍受得住嗎？父親受辱就是我們受辱，大丈夫男子漢，我就不願忍受恥辱，好！我報仇去。」

他說罷便將書包一扔，轉頭就出門，向團練辦事處走去，恰巧來到半途，遇到那土豪騎著馬在前面走，他於是追上去喊：

「喂！止步。」

那土豪勒住馬，轉頭一看，原來是一個小孩子，他不覺大怒，喝道：

「你這小子是甚麼人，膽敢喝我停馬？」

「你這惡霸太可惡，爲甚麼侮辱我父親？快賠罪，不然我可就不饒恕你。」

那土豪一聽，知道是劉某的孩子，且出言不遜，不禁哈哈大笑起來，說：

「你這小孩子要我陪罪嗎？好好！不陪罪就怎麼樣？」

「我要殺你。」

「哦！這就有趣了，我看你這小傢伙怎樣殺我。」

他跳下馬把銘傳上下打量一下，又說：

「我看你赤手空拳，不能殺人吧，我給你一支刀，你若能夠殺我，就眞是好漢。」

說罷，便由腰裡抽出一支刀擲給他，才拴起馬，準備廝殺。銘傳一拾起刀，看他正在忙著脫馬褂，猛不防一刀向他背後砍去，土豪措手不及，「哎唷！」一聲，要反身來，但銘傳又是一刀，他又「呀！」一聲支持不住撲倒地面，銘傳順勢一

142

連數刀，看他已斷了氣，才將頭斬下拿在手裡跳上那匹馬，奔回村裡對村眾說：

「這惡霸橫行鄉里，欺負良善，現在我已把他除掉了。大家倘能跟我，我當負責保衛這鄉里。」

村民本來受那土豪欺凌，敢怒而不敢言，現在銘傳替他們除掉，大家都很歡喜，且佩服他的膽量，表示願意擁戴他，這時候歸附他的人數竟達數百人。

這一年，劉銘傳的年紀只有十八歲。

*　　*　　*

② 洪秀全的太平天國在這一年，已進抵金陵（現在的南京），並奠定這地方為他們的國都，江南半壁天下已盡歸他們的手裡，滿清政府愈加岌岌可危。

銘傳自領導本鄉的團練之後，極力加強組織，築造堡寨，而且擊退了別堡的來攻，因此聲名已漸漸被人注意起來。他這時候年紀雖然還小，但卻懷抱著大志。有一次，他曾登居處的大潛山閒遊，本來這座山是個優美的地方，遊人頗多，可是現在景象大變，滿目蕭條，他似有所感觸，不禁仰天嘆了一聲說：

「當此亂世，大丈夫當建功立業，生而有爵位，死而有謚號，才有價值。」

咸豐九年，他率了本鄉的團練的鄉勇，跟清軍打太平軍和捻匪，連戰連勝，被褒獎千總。兩年後他又參加李鴻章的淮軍，同治元年，到了上海，獨立一幟，將這支軍號稱「銘軍」，採用泰西新式裝備。他就在這時候和西洋的武器與新思想開始接觸，對西洋文化漸有認識。後來太平天國潰滅後，就率領這

支「銘軍」轉戰各地，征剿回匪捻匪很多年，由是善戰名震一時，而他的官位也一直高陞，晉至直隸提督。

到了同治十年，他因爲患病請假，回歸故鄉，整頓家園，栽花種木，並築造一間亭子叫做「盤亭」，自號「大潛山人」，每日和一班老友，圍棋賦詩，悠然過隱棲生活。

這時候，天下已經太平，一般士大夫醉生夢死，甚至結黨相爭，輕蔑泰西的學問、科學，大罵洋人不足學。可是銘傳卻不以爲然，很擔心這種故步自封的空氣，他眼看世界日新月異，列強虎視眈眈，想侵略中國，倘不設法採用泰西新法，圖謀富強，則前途實在不堪設想。

光緒二年的一個秋天，他偶然往南京，受一個大官招待，和一班名士在風光明媚的秦淮河飲酒，席上的話題又談到國家事來，大家又開始攻擊泰西的新制度和學問，其中有一人就問銘傳說：

「省三（銘傳的字）兄，對這問題有獨到的見解，你以爲怎樣？」

銘傳搖搖頭，微微笑道：

「各位的高見，我不能十分同意。我想中國今後倘不想改變，那麼前途實在令人寒心。目前我們的弊病實在太深了。我們若不快快採用西洋的方法，廢止科舉，燒掉六部例案，開設西式的學堂，翻譯西書，培養新人材，或者不出十年，就無法挽救了。」

大家聽了這種一針見血的話，都啞口無言，心裡暗暗佩服他。

*　　*　　*

③ 光緒九年，法國侵奪越南，騷擾福建、廣東兩省沿岸，而窺伺臺灣的企圖也已很明顯，滿清政府看情形如此緊張，深感非有一個能幹的大員去佈置，很難應付這局面，於是決定起用威望素著的宿將劉銘傳來負責臺灣的防務。

銘傳於五月奉召晉京，兩次晉謁清帝，馬上首途轉赴臺灣。可是他在接受命令的時候，就有人暗地通知他說，敵方計劃在海上截擊他，須要特別提防。銘傳自接到這消息，心生一

海門天險砲
台中最大一
尊主力砲。

計，排出好似懼怕法軍的樣子，幾天後剛剛抵達上海，法國公使果然就來旅社拜會，他極盡禮貌接待，寒喧後，這公使就問道：

「那麼劉大人甚麼時候起程赴任呢？」

「預定過了五天才出發，搭乘的軍艦也已經決定了。」

銘傳一面又命人辦好酒席，和這公使暢飲起來。

這天晚上，適值風雨大作，他就利用這機會，改穿常服，悄悄地搭乘別的艦船，駛向臺灣。他離開上海數小時後，法國方面才發覺這事，連忙派出軍艦追趕，可是已經來不及了。

銘傳於閏五月廿四日抵達基隆，馬上登岸巡視砲臺和各種防備；這時候，基隆砲臺只有五砲，兵艦也只好供運輸之用，各種設備也都不備，大敵當前，差不多等於沒有設防。他看了這種情形，雖然很心痛，可是極力保持鎮靜，即刻督兵勇興工，築造新台，建築新壘，一面設宴慰勞諸將士，和他們歡談暢飲，鼓舞士氣。

基隆這時候雖然還未發生戰事，但事實上已被他們封鎖。到了六月十四日，征臺總司令李士卑斯海軍少將率領艦船侵入基隆港，對守軍負責人蘇得勝、曹志忠等提出最後通牒要求撤廢防備，可是守軍沒有答覆。

第二天，清晨的八時，法國軍艦的巨砲對基隆砲臺開始猛轟，守軍的砲臺馬上應戰，一時砲火掩蓋了海面，隆隆的砲聲震撼了這寧靜的港口。不久，砲臺前壁和火藥庫被擊毀，守軍就放棄了砲臺後退，並依照銘傳的命令，撤退了海濱的各營，移佈基隆山後，打算引誘敵軍上陸，才和他們決戰。未幾，法軍果然上當，陸戰隊在砲船掩護下由二沙灣登陸。

第三天，法軍陸戰隊指向基隆街搜索前進，這時候適值大霧迷濛，突然，埋伏的華軍喊聲出擊，激戰數小時，法軍大

敗，紛紛逃上戰艦，逃走不及的則都墜入海中。

法軍攻臺的消息傳出後，全臺民眾掀起了援軍、募勇、仇外的熱潮。可是無知的民眾不懂得侵略者是法國人，凡是紅毛碧眼的，不管他的所屬國籍，一律視爲敵人，所以英國、加拿大辦的錫口（現在的松山區）、艋舺（現在的萬華）、大龍峒（現在的大同區）和新店的教會，都被盛怒的民眾搗毀，大稻埕的英商也被包圍，鬧出很多的笑話。

*　　*　　*

4 法軍自基隆敗退後，即轉兵攻打福州的閩江口，毀了福建造船廠、兵器廠，於是又將目標轉向臺灣來。

中秋節前兩天的八月十三日，法軍分由兩方面開始進攻：一是在基隆的仙洞東南海濱登陸，向其西側的山嶺推進，這方面是由孤拔中將指揮；一是由李士卑斯少將指揮的艦隊，向滬尾港口（現淡水港）開砲；華軍指揮官孤開華也下令還砲猛擊，雙方的砲戰很猛烈。這方面法軍因爲兵少且又損失大，不敢馬上登陸。

到了八月二十日，滬尾法軍的援軍已到，上午九時又開砲猛轟，雙方一陣的砲戰後，八艘的法艦忽然散開起來。這一戰之初，孫開華斷定他們一定會登陸，早就新作部署，親自埋伏港中，並在油車口、八臺山後、北路山間等地分別配置兵力。十時，在砲火濃煙蔽天之中，法軍果然分爲三部，在沙崙東北海岸中崙新砲臺右方登陸進攻，這一次雙方的兵力都很雄厚，法軍在法軍猛烈的截擊下無法進展，到了正午，法軍抵擋不住開始退卻，華軍大勝，這一役是法軍侵臺戰爭中的激戰，法軍死三百餘人，華軍死傷一百餘人。

銘傳在初次的基隆戰之後，就預料法軍一定會再來雪敗戰的恥辱，可是要求的艦船沒有來，於是為顧全大局，保全臺北府城，決定放棄基隆，將這方面的兵力抽出增援滬尾，並且拆遷八斗子的煤礦機器，守軍的各營也改為離海紮山。當這計劃發表時，部下多不明瞭他的意思，驚惶喧噪起來。親信就來見他，將這空氣告訴他，他一聽完，手撚著鬚，微笑地說：

「軍事是千變萬化的，那裡是局外人所能夠揣測得到的？不要理他。」

過了兩天，基隆的守將提督章高元愴惶奔來謁他，極力主張不要放棄基隆。可是銘傳很堅決，任他怎樣說，一味搖頭說，只有採取這樣的措施，才能保全大局。章高元見他不肯，情一急，竟伏在地下，痛哭起來，請他收回這命令。

銘傳不禁憤怒，站起來拔出腰間的佩刀，碰的一聲向面前的公案砍下，大聲說道：

「我若不放棄基隆，臺北就不能保，違反者斬首。」

說罷就退入後堂。

銘傳在每一戰役都親自督戰，經常是穿短衣著麻鞋，和兵士們同甘共苦。法軍再度進攻基隆的時候，他正騎馬在前線，那時候砲彈突然集中他身邊來，附近已有數人中彈，左右的隨從慌忙請他暫退，他笑道：

「不要怕，戰場中是人自己去找子彈，子彈那裡能找人？」

法軍在滬尾戰大敗後，仍佔據基隆不動，到了十月初，華軍方面的接濟已告充足，因而軍勢大振，且民間的獻款和募勇如荼如火進行，所以法軍雖然時常出擊，但是附近的暖暖、深澳、四腳亭、鱸魚坑、六堵、七堵、八堵等地，一點也沒有進展，只有困守基隆一地。華軍在此間，也是非常苦戰，尤其是月眉山之戰時，將士忍飢冒雨，拼死力撲鬥，營將則跣足往來

基隆法國公墓

FORMOSE
1885

A TA MENDINE
LA DES DE GOD
CA

基隆市中正路上的法國公墓，就是清法戰爭期間陣亡法軍的埋骨地。

督戰，個個都以一當百，所以益使法人膽寒。

　　翌年舊曆二月十三日，法軍看這方面無法進展，爲新闢一個牽制滿清政府的地點，就由孤拔海軍中將率領了一支艦隊佔領澎湖的媽宮。這時候法軍已是強弩之末，自正月以來斷了接濟，佔據兩地的法兵都在飢餓和疫病之中，困苦異常，戰事也已陷入停戰狀態。到了四月二十七日中法成立天津條約，法軍於五月九日撤離基隆，六月廿四日撤離澎湖，於是歷八個月的這一戰事才告結束，法將孤拔中將於戰事結束後憤死澎湖。後來日人爲紀念這史實，將基隆現在的海水浴場附近稱爲「孤拔海灘」，那裡現在還有當時陣亡法人的墳墓供人憑弔。

　　銘傳一俟中法戰事平定，即積極推進臺灣的建設，光緒十三年，臺灣建爲一省時，他被任第一任臺灣巡撫兼學政；十六年，加兵部尙書銜，幫辦海軍。這時候日本已抬頭，國勢漸盛，有一天，他登滬尾砲臺，東望日本，不禁長嘆一聲，對左右的隨從說：

　　「我們倘不從速來建設國防，後日一定要做日人的俘虜。」

　　同行的都點點頭，佩服他的卓見。

　　後來，滿清政府決定十年不增艦船大砲，他更喟然吐了一口氣說：

　　「人家正在虎視眈眈覬覦著，我們卻自已撤廢防圍，滅亡也不久了。」

　　他看自己的經綸無法伸展，就在十七年十月辭了臺灣巡撫歸鄉。二十年，中日開戰，滿清政府有意再起用他出來主持軍事，但他以事急無法實施自己的抱負，堅持不出。到了第二年，臺灣已割讓給日本，他也於十一月二十七日卒於鄉里的居家，時剛剛六十歲。

　　他一生的功績很多，只以在臺灣的成就來說，抗法戰役樹

立輝煌的戰果撇開不說，他的臺灣開拓與經營，可以說是滿清治臺二百多年間的第一人者，後人所批評的「鄭成功後，劉銘傳一人而已」，實在並不是過份的話。陳三立的銘傳畫像題詞，將他一生的功業說得很清楚：

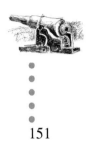

　　勲翊中興，綏定掃蕩。公起百戰，勳冠諸將。

　　大猷雄略，屹爲屏障。圖形紫光，褒鄂頡禮。

黑旗將軍
劉永福

1 光緒二十年的中日戰爭，清兵一敗塗地，根據馬關條約，把臺灣割讓給日本的時候，三百萬的臺灣同胞為著伸張民族正義，不願被日人統治，曾成立臺灣民主國，繼續抗戰。可是沒有幾天，日軍由澳底登陸，首任大總統唐景崧逃亡，因而北部的抗戰結束，抗日的中心便移到臺南，由黑旗將軍劉永福指揮。永福臨危肩負大任，英勇抗戰，終因孤立無援，彼我的力量又相差太遠，到了日軍進迫城下無法再戰時，不得已才潛回內地。臺灣從此由日人統治達半世紀之久。然而他那轟轟烈烈的功績是永遠不能磨滅的。

劉永福不僅是抗日英雄，也是一位威振中外的抗法英雄；他長年間率領黑旗軍，轉戰越南各地，為他們戡平匪亂，且在法國侵略越南的幾次戰爭中，殺得法軍片甲不留，為我國族揚眉吐氣。在中國近代史上算是一位值得特書大筆的民族英雄。

永福初名叫建業，也叫做義，後改名永福，字淵亭，生於廣東欽州古森峒小峰鄉。他的父親叫做以來，耕農為生，到了四十歲的時候才娶陳氏為妻，二年後的道光十七年（一八三七年）就生了永福。他自幼就很聰明，八歲的時候，適值凶年，舉家遷到廣西的上思州平福新圩耕作。

永福生來對父母很孝順，可是家裡很窮，十歲時就被河上的灘艇僱雇幫忙。這時候母親陳氏時常到對面河的鄉鎮替人家接生，或為人禱神祈福，賺一點錢來補助家計，因此，每天要忙到深夜才能回家。所以永福經常停竹筏在河畔等候，任是寒夜或是陰風細雨的時候，他都赤足站在河邊相望；倘母親不歸來，到了雞鳴天亮也不回家去。

永福本來生得很粗大，十五歲的時候，就已長大得像成人一樣，身體結實，且很有臂力。因為他對河流的水道很熟，就

劉永福畫像

被灘艇僱爲舟師，船行走時坐在船頭，指引水路。因爲他指引得很好，所以大家都爭著要用他。這時候，天下很亂，洪秀全已於道光三十年起事，發動反清革命，所以，他的父親叫他開暇的時候學習拳棒技擊，好來鍛鍊筋骨自衛。

　　幾年來他仍繼續於夜中在河畔以竹筏迎接母親，始終沒有間斷過。有一個初秋的晚上，他照常將木筏繫在河邊等待母親，可是這夜的天空，雨雲如墨，沒有半點星光，一會兒，東南風轉強，空中吹下了一兩點雨來，這顯然是惡天候的預兆。

永福眼巴巴看母親還沒有回來，心裡好不焦急。

　　不久，忽見林中有一點燈光，他知道是母親，連忙趕上迎接，只是母親今天有點異樣，有些哮喘且手很冰冷，一問起，答說是感冒，他連忙撐起竹筏篙划起來。過了河，雨絲愈密，他揹起母親跑步趕回家裡時，已是狂風猛擊著門戶，大雨傾注。母親因此一病不起，到了八月便去世了。

　　可是如俗話所說禍是不單行的，父親也因爲過度的悲傷，於十一月相繼病故。他這時候已經窮得沒有錢買棺材，只得用床板釘成一副壽板，草草安葬。十二月，剛剛從欽州來相依的叔父也病故，但這時候已經連床板也沒有，只好用蔗包掩埋就算了事。永福於短短三、四個月內，連遭三喪，悲傷萬分，而且債務又很多，於是將家中破爛的器具全部賣光，才得償還。

*　　*　　*

②　　永福自從父母死後，就到鄰近的鄉村謀生，或做舟師，或做樵夫渡日。咸豐八年，洪秀全的太平天國盛極一時，廣西雖然也在他們的控制下，可是省內群雄割據，內爭不息，老百姓因爲連年的戰亂，生活都很困苦，永福當然是更加窮苦。

　　有一天，同鄉的鄧阿富看他好氣力，又學習著武藝，有意招他參加太平軍，和他談起時事來，他就很興奮地說：

　　「當這亂世，大丈夫不能爲人民造幸福，實在是很恥辱的事，誰還願意過這三餐不能保的生活。」

　　於是永福就依太平天國的制度蓄了髮，和他投奔遷隆州的鄭三。他這時候已經二十二歲了。

　　第二年，永福跟鄭三返福祿村，有一夜，不意被敵對的巫

必靈軍及和他們暗通的村人襲擊，永福從夢中驚醒時，自己的部隊已有很多人戰死。他慌忙奔出，跳過柵圍，躺在荊棘叢中，可是已被包圍數重，忽然有一人持竹棒越柵走近他身邊，他嚇了一跳，一看，原來是鄭三的養馬人老余，他就向老余借了那竹棒躍出，左右奮擊如出檻的猛虎，敵人紛紛仆地，被打死數人，沒有人敢追趕，他竟突出了重圍。

155

永福不但驍勇過人，有膽量、有智謀，處事有條不紊，且很能體貼人，有義氣，所以大家都很心服他、尊重他，幾年來東奔西走，終被推為首領。同治四年，率二百餘人赴安德壙投奔吳阿忠，可是他們這支軍還沒有旗幟做標識。有一天，永福偶然看見安德土人廟奉祀的水神是用七星黑旗豎立於廟中，他覺得這很合自己的意思，於是做製一大纛，擇定吉日懸於廟前，還備辦牲醴獻祭。部下兄弟整隊廟前完畢，永福剛上香，正要禱告時，忽然吹來一陣風，把旗吹歪，大家不覺失色；永福連忙跪下禮拜，轉瞬間旗又被風吹正起來，一時歡呼拍手雷動。於是挨次上香，誓願崇奉永福，同心共德，禍福相共。

太平天國於同治三年，金陵（南京）被曾國荃攻破，洪秀全自殺後，事實上已經滅亡，重要地方的餘黨也逐漸被肅清，只有廣西省還有零星小股，互相攻打，爭奪地盤。可是他們不但沒有甚麼作為，處境也漸感困難起來，永福所屬的吳阿忠也是這些群雄中的一股。吳阿忠自得劉永福軍投奔以來，數年間連戰連勝，這時候，已成為一支強大的軍隊，所以滿清當局已不能再坐視，就派了馬督辦率領百營的軍隊要來圍攻，吳阿忠那裡敵得過這些大軍，連戰連敗，本人也受了傷。

永福在吳受傷後，即代他處理事務，因而竟和他鬧翻，所部的黑旗軍都很憤慨，勸告他自立門戶，進入安南謀新發展，相機幫助安南剿討匪亂。

③ 同治六年，永福三十一歲，率了黑旗軍由駐紮地波斗起程入安南，抵六安州。他們的軍紀很好，沿途不但雞犬不擾，反保護居民，所以各地方都很歡迎他們這支軍隊。

六安州附近有白苗人的匪軍，侵擾老百姓，看黑旗軍很得民心，阻礙他們的行動，就調集了紅河各地的部隊，準備來攻打，消滅他們。永福自得到這消息後，暗思黑旗軍只有四、五百人，那裡敵過那麼多人，這非以智取勝不可。於是率了從者數人踏勘營寨附近，察看地形，回營後就命令採取很多的竹削尖，在大山山畔野草中，排植這些竹槍，每枝的距離約五、六寸，不植竹槍的地方，自成一條路，做了暗號，好使自己的軍隊辨認，戰鬥時不至誤踏入這竹槍陣中。戰鬥開始時，又派一隊在山腳和田峒間埋伏著，這支軍各持裝滿彈藥的長槍，屏息等待號令。

果然不久，戰鼓震天，萬餘人的白苗軍搖旂吶喊，由山谷中殺出，他們尚未抵達就瞎亂放槍。可是黑旗軍初時一點也不作聲，也不開槍，待他們前進至距離七、八里時，中隊才突然衝出，揚起黑旗，燃放大炮。這聲勢很大，一開始就擊斃白苗軍先鋒隊百餘人，繼之，左右的伏兵也突起，個個都以一當十，勇不可當。白苗軍被這聲勢一嚇，遂掉轉頭潰退，向山谷中狂奔，因而大部分竟陷入竹槍陣，自相殘踏不得脫身。山腳下的黑旗軍伏兵也在此時，「嘩」的一聲襲擊出來，使白苗軍腹背受敵，慌忙敗退，黑旗軍遂獲得空前的大捷。在這一役，黑旗軍以四百人抵抗萬餘人，殺死白苗軍四千餘人，生擒百餘人，奪得戰利品無數，不但六安州的居民拍手歡呼，各地方的民眾也都敬服，所以他們也就這樣駐在安南，繼續征戰了。

永福在每一戰役都身先士卒，衝鋒陷陣，所以大家都很肯賣力。同治九年，他卅四歲。有一天，他的軍勢稍為劣惡，糧

食多儲存於距寶河關四十里的龍塊，可是沿途有十三關都被敵軍扼守，倘能夠擊破這些關隘，不但可以各地連絡無阻，而且可以保持優勢，所以他就親率八十人前往，前後十八日連破這三十處天險的關隘，隨從的八十壯士，也沒有喪失一人。

永福後來繼續率領黑旗軍南征北討，肅清苗匪，剿滅巨匪黃崇英部隊，協助越南政府收復失地，撫卹難民，建立大功，備受越南政府的敬重，各地居民的擁戴，不但越南倚他們為保國衛民的勁旅，而且驍勇善戰的威名也漸為內外人士所注視的

清法戰爭之後新建的滬尾西式砲台「北門鎖鑰」。

了。

　　剿滅黃崇英軍的那一年，安南王就封他為保衛使，部下各
將也都委派官職。

　　　　　　　　　＊　　　＊　　　＊

④　越南本是一個富庶的地方，法國早就垂涎這地方，自滿
清的中葉以來，屢次藉故挑釁，進行侵略。同治十年，
安南因前年的內亂，被迫割南部交趾二州，賠償二千萬法郎與
法國議和，同治十二年，法國皇室駙馬海軍少將安葉又率兵侵
入河內，要求安南政府公佈容許耶穌教徒傳教和在紅河通航。

　　不久，法軍攻陷河內，守官的欽命大臣阮技芳父子殉國。
安南王大驚，馬上諭檄永福出兵援救河內。這時候，永福正在
山西地方（越南國內），奉到諭旨後即刻召集諸將來討論。他首
先說明安南王的諭旨的內容，就說：

　　「法國人橫暴，侵略中國的屬國，現在已進攻河內了，安南
王要我們出兵援助，大家的意思怎樣？」

　　「我想法國人有新式武器，我們黑旗軍的炮火和他們相差很
遠，恐怕不是他們的敵手，這件事是要詳細考慮才可以進行
的。」有一部將這樣說。

　　「我想未必如此，第一，越南自古以來就是中國的藩屬，也

可以算是中國的屏障，萬一越南滅亡，中國也要受威脅。我們不但是越南的將兵，而且也是中國人，於義於理，都不容我們袖手旁觀。第二，法軍勞師遠來，況且一鼓而下就攻陷河內，一定很驕傲輕敵。我們黑旗軍東戰西征，任何堅強的軍隊都被我們所破，越南人沒有一個不知道我們的威名。況且越南王對待我們又不薄，我們現在倘若畏縮不出兵，那麼，對中國和越南都不住，黑旗軍的聲名也從此掃地，不要想再在安南立足。我知道我們的砲火不及他們，但是士氣是可以補這缺點，所以我決意出兵。」

159

他這場議論，名正言順，大家都很佩服，於是集合各路的人馬，誓師出發。黑旗軍前鋒抵達距河內西城門十里駐紮時，安南兵也有一萬餘人開到，可是他們只擔任建築營寨、巡察、運糧等工作，第一線的作戰，是由黑旗軍負責的。

法軍安業一聽到敵軍已經開到，就開了河內的西門，臨橋挑戰，可是他們的陣勢還未排好，忽然黑旗軍的大纛飄動，全軍「嘩」的一聲殺奔過來，直衝過大橋，撲向法軍前鋒。這時候，永福親自指揮，挾快槍，舞大刀，他一叫衝鋒，全軍響聲如雷動，本來英勇的黑旗軍更如生龍活虎，爭前殺敵。法軍本以為黑旗軍是和安南兵一樣不堪一擊，現在猛不防遇到這猛烈的攻勢，措手不及，無法抵擋，紛紛後退，顛仆棄槍者很多，競相奔向西城門，司令官安業也無法制止。於是黑旗軍更如排山倒海之勢直迫過去，到了西城門外半里的地方，勇士吳鳳典竟脫下上衣赤著膊，一騎當先，跳躍向前猛砍，若入無人之境。安業看他迫來，倉皇舉槍要擊他，可是槍腔竟沒有子彈，措手不及，被他一刀砍殺。永福立在大纛下，從容指揮，到了城門關起，才命人吹起號角收兵。

河內城內法軍殘部自這一次的大敗之後，一個月餘，任憑

黑旗軍每日挑戰，都緊緊地閉守城門不敢出。永福於是又生出一計，令縛製長梯七十架，預備扒城進攻。可是長梯已經製好，敢死隊伍也已選定，決於那天晚上進攻，忽然長梯全部被安南兵取去，永福覺得詫異，翌日就去質問統督黃佐炎，才知道是法越已在談和，安南王已下令退兵，所以他們才要取梯，免得敵人憤怒起來，又惹起禍端。永福一聽這話，氣得暴跳如雷，大叫：

「驅逐敵人已在旦夕，為何懼怕他們，自己倒要退兵，使功敗垂成，我不管怎樣是要繼續打下去的。」黃佐炎嚇得再三哀懇。永福才滿腹忿懣率隊回到山西去。

第二年，法軍和叛亂匪軍李揚才勾結，藉口根據法越條約，出兵相助，又侵占了北寧城。安南嗣德王大驚，又命令劉永福的黑旗軍前往禦敵，可是法軍一聞黑旗軍要來，即刻退出該城，這場戰禍才算避免。黑旗軍於是繼續進剿李揚才軍，並掃蕩殘餘的匪軍。

*　　*　　*

5 有一年，中國的主事唐景崧入越南，會見永福，論到西南的國事，就說安南內亂外侮不絕，百姓遷徙流離，整個國土差不多沒有一片乾淨土，安南王又懦弱，國祚已經不久，勸他何不乘機自立起來，建號稱王。永福一聽這話，很不高興，答說自己身為越官，為人臣者應當以君主的憂患為自己的憂患，豈可叛逆篡位，做不忠不義的事，被人唾罵。話裡婉曲地對他的勸說加以拒絕。後來唐再三來相勸，他那裡肯從，有一次，唐又派人來勸，他看那個人苦纏不休，竟發怒拍案起來，堅決加以拒絕。

劉永福軍的
小型雙輪拖
砲，當然敵
不過日軍的
巨砲。

161

　　光緒八年，法國又決定出兵攻安南、北圻各省，派李威侶
率領大軍侵入，和黑旗軍相對佈陣。永福也以三千的精兵，分
為三大隊迎戰，並親自臨陣指揮。

　　這一天雙方激戰很久，法軍司令官李威侶被黑旗軍的右先
鋒楊智仁擊斃，因此，法軍失了主將而大敗，黑旗軍乘勝攻入
河內城，法軍在這一戰也差不多全軍覆沒。不久，因為河內的
河水高漲，黑旗軍才開回丹鳳縣去。

　　這一年，永福已四十六歲，安南王因他屢次為越南建立大
功，就派他為三宣正提督，加封義良男爵。

　　法軍自河內敗戰後，大調四方的部隊來援，由水陸兩方面
迫近丹鳳縣，在這一戰法軍仍然大敗，自知並不是黑旗軍的敵
手，才移兵攻破越南京城的門口安順縣，直迫安南京城。嗣德
王大驚，表示願和他們議和，法軍雖然同意，可是提出的條件
是以黑旗軍先退才肯答應。永福本擬馳赴援救，但兵尚未出
發，便一再接著退兵的諭旨，他不禁長嘆一聲，說戰勝反要讓
退，這實在是天下的奇事。

　　永福退到山西後，這一年十一月，法軍又調了數萬軍侵
越，並分一隊攻山西，但這都被永福和滿清政府派的黃桂蘭軍
及岑毓英軍合力擊退。

　　光緒九年，法國決定以武力解決安南，安南嗣德王因憂傷
國事而死，法人勢力益加增大，且向清軍挑釁，並與新安南王

訂立越法新約二十八條，規定東京（越南地方）割讓法國，越南爲保護國。翌年，滿清政府因爲這一事向法國政府提出抗議，並命令雲貴總督岑毓英和劉永福協力抵禦法軍。

法國當然不理睬滿清政府的抗議，於是在這一年，中法正式開戰，永福由清廷派爲提督，黑旗軍就和清軍轉戰越北各地，並在三圻、諒山、文淵等地擊破法大軍，獲得空前的大捷。全軍正待進迫北圻，忽然停戰詔書傳來，中法兩國締結法越天津條約，中國正式承認法越所結的一切條約，由此安南遂落入法國手中。所有安南境內的中國軍隊奉令撤退，可是黑旗軍正準備撤兵入關的時候，各地土人一聽這消息，大起恐慌，聚合了數千人來挽留，永福告訴他們這事是出於不得已，說完不勝欷歔，土人也都淚下。

到了七月，永福各事摒擋完畢，共四千人分批起程，黑旗軍的諸將士雖然都欣然歡喜可以入關重見祖國的山河，但沿途到處受了各地住民熱烈的歡迎，而且二十餘年的相處，大家都依依不捨。

十三年五月，永福調任碣石鎮總兵，奉旨入京召見。上海、京師等地的中外人士，爭著要瞻仰這大敗法國海陸軍的黑旗將軍的丰采，各地都熱烈地歡迎他。

晉謁滿清皇帝的那一天早晨，行館的兩粵會館附近，很早就擠滿了人，頓然間成爲鬧市，等候著要看他一面。永福恐怕途中被群眾包圍，稽延時間，心生一計，命令隨從人員將朝衣朝冠用黃包袱包起，放在馬上，自己則穿了便衣，戴了小帽，騎了小黑馬悄悄地入城，才換上那些帽服去晉見。

*　　　*　　　*

6 光緒二十年春，中日因為朝鮮的事而開戰，滿清政府看臺灣形勢重要，派了永福率師來臺防守，幫辦軍務。他於八月抵臺南，到了唐景崧出任臺灣巡撫後，就來臺北會他，視察各地防守，他看見防地工程很草率，士兵又懦弱，大敵當前，痛感非重新全部整頓計劃不可，所以就向唐撫台建議，可是唐並不願意採納他的意見。

到了二十一年，清軍敗戰，經過馬關條約決定將臺灣割讓給日本後，臺灣人士激烈反對無效，於是臺灣士民標榜「義不臣倭，願為島國，永戴聖清」，決定成立臺灣民主國，以繼續抗戰。這時候唐景崧沒有甚麼主意，就打電報問永福的意見，他斬釘截鐵地答覆：「與臺存亡。」於是民主國才於五年二日成立。可是日軍一由澳底登陸，戰事就節節不利，沒有幾天，唐景崧看情勢不好，偷偷地由滬尾乘德國輪船逃返內地後，北部的軍事便告垮台了。

這消息傳到南部後，人心動搖，土匪峰起，臺南的代表人士便到旗後的防地，迎請永福，呈上「臺灣民主國總統之印」懇請他到臺南繼任，主持抗日大事，維持治安。可是他堅辭不肯接受印章，過了兩三天他們又將印帶來時，他仍堅決不受，並對他們說：

「我是中國人，生當國家危亡之秋，拒敵保民是我的職務，目前的大事是抗日，我在安南大戰法軍三次，獲得勝利，都未曾有功名富貴的念頭，責任我是接受的，但印我是不要的。」

這時候戰事益發緊急，膽怯的文武官吏已紛紛離開臺灣回到大陸，事實上全部的責任已落在永福的身上，他已總攬著全臺的軍政大權。不久，中部也相繼失陷，於是閏五月四日他就和臺南鎮總楊泗洪等一班留下來的文武官和士紳義民在練兵場歃血立盟書，在悲壯嚴肅的式場上，他慷慨對大家說：

「我劉某，不要命、不要錢、不要官，願和民眾同甘共苦，和日軍共戰死而已。」

日本的臺灣總督樺山資紀看南部的抗日這麼堅強，幾次經英國領事寫信勸他投降，可是都被他拒絕。有一天，幕僚吳桐林和他談起局勢時，吞吞吐吐問他：

「我看大勢似乎對我們顯然不利，大帥為甚麼不打算另外採取一條路徑呢？」

「我那裡不懂這事？我留在臺灣，並不是有甚麼別的原因，不過是被臺灣人民的忠義所感動，不忍回去而已。」

永福雖然明知局勢很壞，但仍繼續努力，日夜整頓軍事，並在臺南訓練團勇，設議院，創辦郵局，發行郵票，設立官銀總局，整理海關，維持治安，大得住民的愛戴。而兩江總督張之洞和兩廣總督譚鍾麟也有密函來要他扼守臺南，一定匯款來接濟，所以他益加心強膽壯起來，決意非把日軍擊退不可。

可是，抗日期間拖長，臺中、雲林等各地的守軍不能抵禦日軍銳利的武器和大軍，不久，這些地方相繼失陷，臺南已成孤立無援，而且軍糧軍餉也漸缺乏，募捐不容易，內地又沒有依照約定寄款來。到了八月中旬，日軍分三路：一由北部南下，一由枋寮北上，一由布袋嘴登陸，三面夾攻，而前線又紛紛要求彈藥軍餉，永福急得頓足嘆道：

「這是內地諸公誤我，我誤了臺灣人民。」

永福的兒子成良看見情勢已無法持久，於是又對他說：

「父親，我看情形已這樣壞，不如從速回內地。」

可是永福搖搖頭沉痛地悽然答道：

「雖然沒有糧食軍火，但我若走，怎對得起臺灣的老百姓。」

以後各地差不多全部都已陷入日軍手中，而他們的海陸軍

也已竭舉全力攻打臺南市，永福在重重的困難之中，還指揮自如；可是因為軍餉缺乏，影響到士氣很大，到了八月廿七日臺南戒嚴，永福移駐安平砲台，九月二日臺南城內又有土匪蜂起，永福知道大勢已去，這才匆匆和幾個隨從乘英國輪船爹利士號逃回廈門。九月四日日軍佔領臺南市，臺灣民主國也隨之滅亡。他除了在臺北的十二天之外，發號施令的期間大部分都是在臺南，共存續了四個月又二十五天。

永福自返國後仍繼續任軍職，辛亥革命時，又受全廣東軍民的推請任該省民團總長，到了大局底定，才解職返故里欽州，八十歲始告仙逝。

劉永福不但是一位民族英雄，也是我國近代的名將，國父孫中山先生也時常對人說：他自少時就很欽慕這位黑旗將軍。台灣光復後，政府已經把他從事指揮抗日的臺南市的一條街改稱為「永福路」，永遠紀念他的功績。

戰前澳底海濱的日軍登陸紀念碑，為銅製砲彈造型，鑴有征台事蹟文字。

民族志士丘逢甲

台灣民主國的國旗，亦稱黃虎旗。

1 西元一八九四年甲午中日戰爭一役，清軍慘敗，割讓臺灣給日本的事，在中國近代史上實在可以說是奇恥大辱的一頁。那時候臺灣人民曾一再向滿清政府籲請廢約，可是他們都置之不理，所以迫不得已，由丘逢甲首倡獨立自主，成立了「臺灣民主國」，堅決表示要「守土抗倭」。

這臺灣民主國因為日軍和義軍的力量相差太大，幾個月就告瓦解，但它的成立不但早中華民國十六年，而且也是亞洲頭一個的民主共和國。現在凡是談到臺灣民主國的人，首先便要提起丘逢甲，算來並不是偶然啊！

丘逢甲的父親名龍章，但是大家都叫他潛齋先生。他是一個博學聞名的廩貢生，兒女一共有九個，逢甲是他的第二個兒子，他本是在現在的苗栗縣銅鑼鄉出生的，後來他們才遷到現在的臺中縣豐原市北方的翁仔村居住，這地方在那個時候，還是屬於彰化縣的管轄，叫做翁仔社，在大甲溪的旁邊，是一個開發不久的平埔族部落。

逢甲天性聰慧過人，而且又生於書香之家，環境良好，所以四歲便能識字讀書，六歲就能吟詩，八歲更能做得很好的文章，所以大家都叫他做「神童」。

逢甲雖然時常受了長輩的褒獎，可是自己也很肯勤苦努

力，所以學問詩文進步得很快。到了光緒三年，他十四歲的時候，潛齋先生看他的學力和應科舉考試的童生沒有絲毫遜色，就想叫他參加童子試，好來試試他的才學。可是潛齋先生心中卻有點擔心；因為怕他年紀還小，膽量不夠，所以有一天老先生叫他到面前來問道：

「逢甲，我想叫你參加這一科的童子試，你願意不願意？」

「好的，爹爹叫兒子做，兒子自當遵命。」

潛齋先生看他答話似乎很有自信，一點也沒有畏縮的樣子，心裏暗自歡喜。為了顧慮他途中的安全，就令家人雇定兩頂轎子，好讓自己跟隨照料，到臺南府城去應考。

父子兩人分坐兩頂轎子，白天趕路，夜裏投宿旅社，一路飽賞風光，過了好幾天才到臺南府城。這臺南府城不但是臺灣開發最早的古都，而且在當時還是一個最大最熱鬧的城市，尤以三年兩次的考期，街上行人車馬特別擁擠。可是逢甲卻無心去遊玩市街，覓定旅店之後，就一心一意地在等候考試的日期。到了考試的那一天，他大清早就起床，梳洗完畢，吃了一點清粥，就攜了考籃跟著父親到考場門口，然後自己進場。這時候有一個小孩子應考的消息，早已傳遍了應考人們的耳朵，所以他一進考棚，老老少少的考生們都以奇異的眼光來瞧他。試卷分發後，考生一個個聚精會神地寫試題；無論初試、複試，第一個交卷的，都是這個最年輕的丘逢甲。

主考官是福建巡撫兼提督學政的丁日昌，他眼見這個情形，又看他的試題寫得最好，很是驚奇，就親自招見，命他作臺灣竹枝詞一百首，想再試試他的才學。但他一坐下提起筆來，並不加甚麼思索，信手揮寫，在天還沒有黑的時候就繳卷了，而且作得很好。丁日昌一口氣讀完，不禁拍了一下桌子喊道：

「好，這真是天下的奇才！」

到了發榜的那一天，潛齋先生帶著逢甲去看，果然不出所料，他名列前茅。父子歡天喜地，一回到旅店，伙計又迎上來稟報說，主考官丁大人派人來召喚逢甲，請明早去會見他。第二天，逢甲又和潛齋先生同伴，去謁見丁日昌。丁學臺一見逢甲，滿面笑容，對潛齋先生說道：

「令郎的才學，真不愧人家叫他神童啊。」他說完話便轉身去拿出一塊印章對逢甲說：「我特地叫人刻了這一刻『東寧才子』四個字的印章贈送給你，作為獎勵的應思，你以後要好好地繼續用功，將來為國家效勞。」

他們父子拜謝了丁日昌，並接受他的好意，參觀了署內的藏書，才整裝回鄉。

逢甲秀才及第的喜報，已早一步報到家裏，家人一面接受親戚朋友鄰居的祝賀，一面準備他倆返鄉後的慶祝宴。到了他們父子返抵後，為了酬酢，忙了很久，才告完畢。逢甲趁事情告一段落，就到筱雲山莊去，跟令名赫赫的學者吳子光先生繼續讀書。他的詩文在彰化一帶也漸漸地有名起來。

*　　*　　*

② 這時，日後做臺灣民主國大總統的唐景崧正在做翰林分巡臺灣道，他在歲試時看逢甲才學很好，就拔擢他進海東書院讀書。學院裏的同學有新竹的鄭鵬雲，安平的汪春源、葉鄭蘭等好學生，他在這裏更有切磋磨鍊，博覽典籍的機會。

滿清自鴉片戰爭以來，時常遭受外國的侵略，國內也擾亂不平，國力一天一天衰頹下去，尤其是在光緒十、十一兩年間中法戰爭，法國艦隊封鎖臺灣，法軍攻佔基隆、滬尾、澎湖等

地，更使逢甲切實痛感國族的危機，所以他除了學習詩文、經史子集、八股文之外，還注意國家世界大事，留心經世的學問，每次和同學談到時事，就悲憤激昂起來。

到了光緒十四年，二十五歲的時候，他到了省會福州參加福建鄉試，此時他又不辜負親朋的期待，被錄為第三十一名的舉人。回到故里後，聲名大振，況且他平素為人正直，處事公平，鄉中的父老一碰到糾紛事件，大家都異口同聲說：「找舉人去評評道理」，求他排解。

次年，正值大比之年，在北京舉行會試，逢甲受了父親和先輩的鼓勵，決定參加。這時候臺灣到北方的船隻，都是由淡水開出的多，他於是揀了一個黃道吉日，趕到淡水乘船赴天津轉赴北京。一路上因為臺灣去北京赴考的人很少，十幾天的海上旅途，使他感覺得寂寞孤單。臺灣自光緒十三年，在臺北到基隆之間已經架設了鐵路，可是這時候天津到首都北京的重要交通路，卻只有搭乘運河的船和陸路的馬車。逢甲下船，為了觀看沿路的風景，就雇了一部馬車，京津道上，一望平原，白楊垂柳和亞熱帶的臺灣風光不同，悠揚的大陸情調，更使他怡然神往。遠遠望到了雄偉的北京城的時候，他心裡不禁湧起一種無可名狀的興奮。

在北京的西門外，各省都有建造會館，專供他們省內來京的考生和客商住宿。臺灣這時候建省不久，逢甲就循過去的例子，住在福建會館。這會館裏早已住滿了考生，大家都成群結伴到市街遊玩，但他卸下旅裝之後，雖然跟著熟識京城的人略跑了一趟，但一下子就回來，一個人關在房裏讀書。

有一次，走到一間書店，同伴的考生都進去買小本的四書五經，他覺得很詫異，就問他們說：

「你買這幹甚麼？」

「要挾帶到考場的呀，你要不要一本？」

他聽完了話才恍然大悟，不禁笑了一笑，起初搖搖頭本想說不要，忽又想到這樣未免不好意思，也就跟他們買了一本。

到了考試的前一天，考生們個個緊張，有的將買來的小本經書藏在辮子裡，有的藏到鞋子底下；只有逢甲從容不迫，準備得很周密，卻不攜帶那小本經書。三場會試完畢，果然，進士榜上有他的名字。

到了皇帝賜宴，給這批新的進士飽觀禁中御花園的風景後，他才放寬心懷，任情遊逛市街名勝；北京城的街道，本來就很寬闊，兩旁的店舖房屋古色古香，街中的牌坊巍峨莊嚴，他覺得處處樣樣都新鮮，尤其是歷代的名勝古蹟，更使他留戀忘返。可是逢甲雖然對古都的風景很感興緻，但他每次歸來，都很不高興，似乎有一種沉重的心情鬱結在心頭一樣。因為他看見帝都也和別的地方一般，政治腐化，到處暮色沉沉，沒有一點朝氣，心裡暗為這內憂外患重重的國家前途擔心。

有一天，逢甲吃完了早飯，正想邀同一些朋友繼續遊覽，忽然衙門送來一份公文，拆開一看，原來是一張派令，皇帝派他做工部主事。同宿的人都圍上來看，向他道賀升官，可是他卻出人意外，臉上沒有喜色，低首沉吟了一會，才抬起頭來對大家說：

「這個官我不想做，要回鄉去。」

「不做？這個官你不做？這官是誰都求之不得的呀。」其中的一個用著羨慕的口調問他。

「我想做這個官，對國家無益，也不能貢獻甚麼。」他搖著頭，口氣也很堅決。

「真傻，這是很光榮的事呀。辭掉太可惜呢！」

逢甲又經過了一番的考慮，他以為在這樣腐敗的政府下做

事，沒有一點意思，也不能有所作為，所以就託詞氣候水土不合，寫了一張辭職書遞上去，將官職辭掉。不久接了批准書，他就收拾行李，離開北京，回轉臺灣。

＊　＊　＊

3 逢甲回到故鄉後，因為臺灣考取進士的人很少，所以更受人家尊重，不但地方人士有甚麼事就要來求他排解，就是官府對地方有特別的政令，也要來徵求他的意見。所以不久，愛他才學的唐景崧就聘他主講臺中的衡文書院，他雖然不願做官，可是為了培養下一代，也就欣然應允這個差事；後來他還繼續在臺南的羅山書院、嘉義的崇文書院當過主講。

這時候滿清政府的腐敗越來越厲害，外國的侵略也有增無減，國事一天天嚴重起來。他深深感覺從來為科舉而攻讀的學問一點也沒有實用，於是更加注意中外時事，進一步研究西洋的民主政治制度。對於學生，除了應試課藝之外，還講解一些中外興亡的歷史，提倡閱讀報章，極力灌輸新的智識。他的滿腔的愛國熱誠和淵博的學問，感動了各方面的人士，不知不覺之中，竟隱然成為臺灣最有號召力量的維新運動的領袖人物。到了光緒十八年，唐景崧調任臺灣布政使，邀他為幕僚，因此他更能時常對當局貢獻意見。

光緒二十年八月，正當逢甲三十一歲的時候，滿清和日本因為朝鮮的東學黨的事開戰，滿清的積弱於此完全暴露無遺。陸海軍都節節失利，一敗塗地。臺灣因為位置衝要，物產豐饒，本來已是日人垂涎的目標；他事先料定萬一朝鮮事敗，對臺灣一定有很大的影響，所以就向當局提議，應該設法把全臺灣民眾組訓起來，共同保衛鄉里。不久，清廷採納了他的建

議，派他負責督辦團練。他雖然知道這是吃力不討好的工作，可是他更深深明瞭這個工作的重要性，於是提出了「守土拒倭」的口號，奔走各地，說明祖國的興亡和捍衛民族的大義，鼓勵鄉里的子弟，有錢出錢，有力出力，好來保衛家鄉。各地熱血的青年受他愛國熱情感召，紛紛入伍，僅僅幾個月間，全臺編冊的有一百六十餘營，特別編練的有三十二營，他一看編隊完畢，就積極操練，這竟形成一支有力的民軍。後來把這團練改稱義軍，他照舊擔任首領。

到了翌年的三月，滿清政府派李鴻章到日本下關在春風樓，和日本全權大使伊藤博文議和，簽訂馬關條約，決定將臺灣割讓給日本。這消息一傳到臺灣，全省譁然，民心洶洶不可終日，此時在北京會試的臺籍舉人聯名上書都察院阻止割讓，全省的士紳也由逢甲領導，一再以電報表示反對，可是滿清政府一直都沒有答覆。省會臺北的民情一急，終日男女老幼成群，蜂擁到撫臺衙向巡撫唐景崧和他的母親哭訴，懇請代轉北京取消割臺。到了三月二十六日，一看滿清政府已沒有採納民意的樣子，便鳴鑼罷市，不作買賣，表示全臺民眾的抗議。

逢甲幾個月來為保衛臺灣，東奔西走，弄得筋疲力憊，可是這一兩天他為明瞭市面的情形，特地來往艋舺、大稻埕、城內之間，觀察民眾的動靜，他一看見這樣情景，幾乎要哭出來，一回到旅舍，馬上咬破手指，寫了一張沉痛的血書，向滿清政府提出，可是，依然沒有反應。

到了五月，全臺民眾知道大局已經沒有辦法挽回，大家正茫然失措，不知怎樣才好的當兒，逢甲在一個會議席上，毅然站起來建議：

「我想，政府既然不加理睬，我們也不應該拱手旁觀讓日本人進來蹂躪我們的土地，奴役我們的同胞，應該採取別的方

法，自主起來抵抗，最好是順應世界潮流，建立一個民主國，
照舊以中國為宗主國，好來結集大家的力量，抗拒日本，等待
日後這事平定後，再請命中國辦理也不遲。」

　　他的這種意見在熱烈的掌聲中，獲得了大家的贊同。於是
決定推舉臺灣巡撫唐景崧為大總統，並選派了各部門的籌備人
員。幾個月來，大家沉重的心情，好似發現了新的希望，這才
鬆了一口氣。

清朝在台灣
建省後所建
的巡撫衙門
，位於今台
北中山堂一
帶，小部份
建築後來移
建台北植物
園內。

＊　　＊　　＊

④　五月廿六日（農曆五月初二日）早晨，天氣晴和清爽，
　　好像在慶祝這東方第一個民主共和國的臺灣民主國的成
立，幾個月來徬徨無主的省會市民好像已得到了寄託，心情已
沒有那麼緊張，大家都在談論今天成立典禮的事。尤其是艋舺
方面，一清早參加送印的各地代表陸續聚集，附近的民眾也蜂
擁而來，要來參觀送印隊的遊行，凡是隊伍預定經過的街路，
人山人海，擠得水泄不通。

　　時刻一到，集合地點的營盤頂（現在的中央警官學校）連
珠砲聲一響，鼓樂隊就吹吹打打起來，接著一面藍地黃虎緞子
做的臺灣民主國旗領先，接著就是旗牌執事，四腳香亭。這四
腳香亭內安插著一對金花，用黃綢布包著一顆大總統銀質印，

由秀才扛著。續後是大鑼、地方代表、進士、舉人、士紳，這整齊的遊行隊伍出發後，浩浩蕩蕩經過北皮寮、龍山寺、新店頭、舊街、直街仔、草店尾、祖師廟、新起街，過了河溝，才由臺北城的西門進城，入撫臺衙舉行儀式。遊行隊伍經過的時間約歷一小時才完，真是空前盛況。

逢甲做了民間的代表，率領了拔貢陳雲林、廩生洪文光、街董白其祥等參加，他看見街上民眾熱烈的情緒，一時忘記了大敵當前，不勝感慨，歡喜得幾乎流淚。抵達撫臺衙後，逢甲就代表了省民向大總統唐景崧行兩跪六叩首禮，獻上總統印，唐景崧三讓之後，才接受印章，並令中軍捧入。受印禮完畢，各代表雖然請求升堂，接受全國民眾的慶賀，可是景崧以國難臨頭推辭不肯。

臺灣民主國宣告正式成立後，於是分設軍務、內務、外務等各部大臣，立議院，推選議員，以巡撫衙門充作總統府，建元為永清元年。軍事上的部署，則由唐景崧負責守北部，逢甲率民軍守中部，黑旗將軍劉永福守南部，以便應付敵人。

滿清政府派的李經芳和日本政府派的樺山資紀在基隆港外日本軍艦上辦理交割臺灣的前幾天，日軍於五月廿九日（農曆初六日）由澳底登陸，以銳利的新武器節節推進，到了六月三日，已進攻基隆的獅球嶺。臺灣的義軍本來武器惡劣，缺乏作戰經驗，況且唐景崧戰志沒有堅定，所以沒有幾天，初期的抗日戰事就告結束。到了六月四日（農曆五月十二日），唐景崧看大勢不好，偷偷地由滬尾內渡。六月七日，日軍佔領臺北城，將基隆的「臺灣總督府」移設臺北，並於六月十七日盛大舉行所謂的始政紀念典禮，北部的臺灣民主國遂告瓦解。

逢甲自北部淪陷後，就在中部收拾殘兵重整義軍，在新竹、苗栗、臺中、彰化一帶，竭力抵抗，血戰二十餘晝夜，可

是也終因軍火不足，訓練不精，屢戰屢敗；而且最重要的部將
吳湯興戰死，徐驤也被擊潰，奔走臺南。他獨力無法支持，潛
匿荒野深谷之中。到了七月，才突破了日人嚴密的警戒網，內
渡廣東的鎮平。日人因為他是臺灣民主國的首倡者，非常痛
恨，用盡方法要捕他，目的終無法達到。他抵達目的地時，雖
然身已脫離危險，可是心情是悲憤萬分。他在離臺的時候，曾
賦了後日膾炙人口的詩，題為「辭臺」詩六首，其第一首是：

> 宰相有權能割地，
> 孤臣無力可回天；
> 扁舟去作鴟夷子，
> 回首江山意黯然！

一方面，中北部的軍事失敗後，南部仍由劉永福領導繼續
抗戰，可是當日軍迫近臺南的時候，也因為內外的援助斷絕，
無法抵禦，於九月逃回廈門。劉軍潰散，臺灣民主國才名實俱
亡，整個臺灣就此歸入日人的手中。

逢甲回到大陸後，就卜居祖籍嘉應州，自己署名為「滄海
君」，用來表示不忘復仇的意思，更將三子「琮」改名為念臺，
用以表示懷念臺灣。日常則教導子孫，務必繼承他的意志，日
後為國為民效勞，光復臺灣。後來他在潮州、汕頭等地，興辦
學堂，培養後進，到了辛亥革命時，被推任廣東軍政府教育司
長，後來更又轉赴上海參與籌劃組織中央政府，被推為臨時參
議院議員，於民國元年因積勞患病返回廣東，在鎮平山中溘然
長逝，享年只有四十九歲。他臨死時，還念念不忘臺灣，對家
眷的遺言是：「埋葬須向南，以表示我不忘臺灣！」

山地英雄
莫那魯道

① 霧社的位置是在本省的中央，也是臺灣脊梁骨的中央山脈底中心地點，它是海拔一千一百二十公尺的高地，不但是中部臺灣山地的要衝，西部橫斷中央山脈往花蓮港也都要經過這裡。它腳下可以俯瞰濁水溪源流的怒濤，東方是玉山山脈，西方是阿里山山脈和埔里盆地的接壤處，高山環圍，四面峰巒起伏，四季雲海薄霧，風景優美，特別是每當春天來臨，紅白的櫻花滿山遍谷，非常好看，所以日據時期曾被指定爲臺灣八景之一。

霧社現在是南投縣仁愛鄉的所在地，住在這附近一帶的山胞共有馬赫坡社等十一社，他們自古來就以驍勇聞名，日常是以狩獵農耕爲業，樸實勤勞；有閑的時候，男歌女和，過著很愉快的半原始的生活。可是自日本帝國主義竊據臺灣以後，這個很快樂的世外桃源仙境，就漸漸地失去了平靜，日人對他們橫加無理的虐待壓制，欺騙敲詐，而且胡作亂爲，污辱婦女，簡直不把他們當做人看待。幾十年來又進行好多次所謂征伐，因而被他們殘殺的山胞實在無法計數。這深仇大恨鬱積日久，到了忍無可忍，終告爆發起來，於民國十九年發生了大規模的武力抗日運動，這可歌可泣的壯烈的史實，大家都叫做霧社事件。

領導這武裝抗日的首領是馬赫坡社的頭目莫那魯道，這莫那魯道素來驍勇，且統率社衆的成績很好，很受附近一帶的山胞尊敬，勢力也很大，他曾到過臺北和本省內的各城市，也曾赴日本觀光過，早已吸收著新時代的智識。他的父親早年曾糾合霧社附近各社企圖抗日，不幸失敗，後來他就繼承父親志願，對日本的壓迫，懷抱滿腹的憤恨，一直在窺伺機會一到，便把日人驅逐出去。他的大孩子達奧摩那，二孩子巴瑟摩那，

霧社事件中，泰雅族堅守的天然屏障「人止之關 」，
意指此路不通，如今已闢為公路。

日治時代的馬赫坡警察駐在所，日人稱為「陸之孤島」。

平素也是英勇聞名；尤其是巴瑟摩那，更是大家所喜歡的山地模範青年。

其次，花岡一郎和花岡二郎，可以說是這一事件的參謀長，他們是這一帶的山胞的智識分子。花岡一郎是霍果社頭目的長子，二郎是同社別家豪族的兒子，日人因為霧社的櫻花有名，所以賜他倆姓花岡。兩人受了番童教育之後，升入埔里尋常高等小學校，畢業該校的高等科後，一郎便於民國十四年考入臺中師範學校，成了該地山胞入師範學校的開端。可是一郎畢業後，日人卻不按例派他做教員，只令他擔任日警「乙種巡查」，兼番童教育所教師，且薪給只有日人的一半。這種不平等待遇，喚醒了他的民族意識。

此外馬赫坡社的比荷薩波和從兄比荷華里斯，也是發動這

一次武裝抗日的最重要人物。他們的家眷曾於民國前一年，與該社山胞反抗日警，當全家慘遭殺戮的時候，他倆適因上山打獵，纔得無事，所以早就懷抱著復仇心，很多年來，時常糾合同志籌謀抗日，形成這一帶山胞革命力量的中心。莫那魯道前來參加，領導這一次的抗日，也是他們勸導的。

*   *   *

② 派駐山地的日人，不但成人行為卑劣，把酷使山胞當作一件尋常的事；就是兒童也都有優越感，輕蔑山胞，看山童如獸類草芥，任意侮辱。

春天的某一天，霧社的櫻花正在爛漫盛開著，深紅色的、紅色的、粉紅色的，漫山遍谷，好像雲霞簇錦。青峰翠巒之中，林木茂盛，湍急的溪流轟轟震動，山坡的番社籠罩著濃霧，活潑可愛的鳥兒，吱吱地在樹間跳來跳去，這真是一幅美麗的畫。

「砰，砰！」

氣槍一連響了幾下，幾個日本小孩撿起被擊落的鳥兒，歡天喜地在嚷著。忽然，他們看見遠遠的番屋有兩三個山童閃閃躲躲藏著，在偷看這邊，這些兒童就異想天開，低著聲說：

「我們打打生蕃做遊戲好不好？」

「好！」其中一個附和，很快就扳起氣槍，瞄準山童打去，山童有的應聲哭叫哀號，有的驚得摔倒。這些日本小孩一看，便拍掌呼著：

「萬歲！打勝仗了。」

屋裡的山地人一聽聲響，有的跑出來看，可是知道是日本兒童的惡作劇，也就沒有人敢出來計較，只有恨恨地望著。

事件發生的前一年，日人為了修建警察駐在所和日人的小學校校舍，以及補修道路橋樑，大興土木，發動所謂「勞工作業」，奴役山地人從事很多種的勞動，每天工作九小時，僅給日幣二角，工資雖然這一點點，還時常拖欠；相反地入山工作的日籍匠人，待遇優厚，相差得很遠，而監工的日警又個個都是殘忍的傢伙，把山地人當作牛馬驅使。比如搬運木材，山地人用繩拖運，本是祖傳的方法，可是日人卻不許他們這樣做，要他們肩荷；倘搬運中稍有不稱他們的意思，就是凶狠的一頓鞭打。

3 初夏的一天，很多的山地人從陰森森的山林，肩荷著笨重的木材，魚貫地走出。他們之間雜著日警，手執籐鞭押隊，山間到處築有高櫓，站著武裝的日警步哨。馬赫坡社的頭目莫那魯道也肩負著木材，來到一條下臨萬丈深坑的小山路，他本來是一個魁梧大漢，有很大的氣力，可是也已累得滿身是汗了。

　　「馬鹿野郎（日語，混蛋的意思）！快走。」

　　猛然聽見背後日人的吆喝，接著就是籐鞭的響聲，轉回頭一看，原來是鄰社的人，因為體力不支，停步放下木材休息，被日警古川痛打。可是，接著這個人腳一滑，顛了幾步，要不是樹木擋住，就險些跌落深坑。他不覺心頭冒起火來，猝然放下木材，睜大眼睛，露著殺氣，大聲罵道：

　　「喂！不要亂打人。」

　　古川一見是莫那魯道，馬上迫近來，喝道：

　　「干你屁事！」

態度很兇，舉起鞭就要打。工作中的山地人聽見是馬赫坡社的頭目和日警吵嘴，全部停了手，圍攏上來看。但莫那魯道一點也不畏懼，雙手叉著腰，採取待機的姿勢，萬一古川打來，他就要撲擊過去。古川看見情形不妙，鞭子不敢打下，左手連忙從衣袋裡摸出哨子一吹，櫓臺上的警員就向天鳴槍發出警報，隨著山間各處都吹起哨子，響應起來。一會兒，日警的武裝隊就把莫那魯道他們團團包圍，可是莫那魯道還是很鎮定，山地人看空氣頓然緊張，不期而然，個個手按刀鞘，採取撕殺的姿勢。忽然，霧社分室的山本部長從人叢中擠出來，喝道：

　　「甚麼事？甚麼事？你們到底鬧甚麼事呀？」

181

霧社事件發生地點的霧社公學校原貌，山上有原住民部落，事件後被強制遷村。

「這個馬鹿野郎不聽話，這個多管事。」

山本看見情形不好，事主又是莫那魯道，連忙改變了態度，用溫和的口氣問莫那魯道：

「我以爲是誰，原來是你，甚麼事呢？」

莫那魯道瞟他一眼，指著古川，傲然答道：

「這個亂打人，部長，我今天起不幹了，你們把我們頭目當做甚麼看待？我們山地人做沒有錢的工，還得挨打，豈有此理！」

山本聽完，很機警地命令日警放下槍，才對山地人說：

「今天大家都休息，明天再工作，你們都回去吧。」

山地人一聽，恨恨而散，這場風波於是纔無事平息。可是第二天起，莫那魯道眞的約定各社的頭目都不出役，他這種不畏強暴的英勇行動，自這件事發生後，大家更加敬服起來。

馬赫坡社本來是在木料製材所的入口，各社被徵召勞役的人出入都要經過此地，所以時常在這裡停足休息聊天，因此，馬赫坡社的社衆對搬運木材的苦痛也最清楚。

這一年的十月七日，馬赫坡社有人結婚，社衆四十餘人興高采烈，正在設宴飲酒，監工的尾上警察駐在所日警吉村，在赴林場的途中，經過該社。莫那魯道的長子達奧摩那，因爲和他很熟，就迎上去請他入座飲酒，可是吉村嫌他手髒不肯，他再三好意相勸，吉村反而大怒，用手杖打他；達奧摩那不能忍受，就和他扭打起來，他的叔父看吉村無理，也惱怒起來，幫達奧摩那打吉村。後來，莫那魯道知道這事，就置辦一瓶酒攜到警察所謝罪，但吉村不肯答應，且說怎樣都要報復。

這樣，各社瀰漫著憤恨和不平的時候，比荷薩波和比荷華里斯，看時機已經成熟，就加緊進行發動抗日行動。事件發生前兩天的十月二十四日晚上，恰巧霍果社又有結婚禮，霧社和

能高山一帶各部落的山胞群集歡宴，大家喝到酒酣，話一談到日人的兇暴行為時，青年們慷慨激昂，比荷薩波和比荷華里斯就把握這個機會，提出抗日運動的計劃，還說：

「實在我們不能再忍受巴那特奴（紅頭，日本鬼的意思）的欺負了，我們應該馬上開始行動。」

「對呀！我們要馬上起來殺盡巴那特奴。」

大家熱烈鼓掌贊成，於是繼續舉行秘密會議討論具體的進行方法，並決定請莫那魯道出來指揮。

二十七日，各社的社眾於黎明前依照這個計劃開始行動，分隊襲擊各部落的日警駐在所，然後進軍霧社，和襲擊霧社的大軍合流。

183

*　　*　　*

4 十月二十七日早晨，蔚藍的天空晴碧如洗，微風習習，正是運動會絕好的日子。在霧社高台的霧社公學校操場，已佈置得整齊美觀。大清早來參觀者的來賓和學生的家長都絡繹而來，要看這一年一度的霧社公學校和小學校聯合運動會。能高郡守小笠原敬太郎依照年例自昨天就帶同郡視學菊川孝行，警部近藤比古郎特地從埔里趕來參加，主持開幕典禮。

八時一響，操場司令台站立著小笠原郡守等日本官員，學生則整隊排在操場，全場人員立正，合唱日本國歌，太陽旗從旗桿徐徐地昇起，滿場肅然無聲。突然，一個山地壯丁抽出雪亮的番刀，跑近站在運動場口綵門下的臺中州理蕃課囑託管野政衛，順手一刀把他砍殺，於是，埋伏在操場附近的巴瑟摩那指揮的山地軍青年隊「嘩！」的吶喊起來，從四面向會場衝殺進去。

小笠原聽見外面的騷動，正在疑訝的時候，忽見菊川視學慌慌張張跑近來，嚷道：

「生蕃反了，快走……」

小笠原嚇了一跳，話還未聽完，菊川一手就把他拖著走。後來他們被衝散，小笠原被殺，菊川和公學校教員木村脫險，趕到埔里報告這一驚人的消息。

一瞬間山地軍已如潮湧般突入運動場，逢見日人便殺，刀光閃閃，血肉橫飛，山地婦人跑來跑去，領走自己的女兒，全場一片混亂，花岡一郎和二郎也就在這頃刻間，很快地換上山地服參加隊伍。

另一方面莫那魯道指揮的老年隊，已經佔領了附近的機關、學校、郵局、官員宿舍、日人公司行號等，運走兵器庫的軍火，切斷電話線，扼住大小交通要道，防止日人逃走，但平素心地較善良的日人，就設法保護其兒女，送到埔里。

山地軍完全佔領霧社之後，還分派小部隊襲擊眉溪、羅托夫等地的日警駐在所，在眉溪附近築造掩堡，以迎擊日軍。

當時臺灣總督府於是日得到這消息，馬上下令大規模動員了臺中、花蓮港、臺南、新竹等地的警察隊、步兵隊、山砲隊、機關槍隊，分頭從埔里、花蓮港、羅東、東勢向霧社進行所謂「圍剿和鎮壓」。

＊　　＊　　＊

5 十月二十九日，日軍進佔霧社時，山地軍已經撤回自社，所以沒有犧牲，於是各方面的部隊採取包圍的態勢，並派飛機轟炸。山地軍初時雖然在人止關曾給日軍一個很大的打擊，但敵軍優勢，無法抵擋，只得且戰且走，到了退出

霧社高台，損失漸大，動搖分子竟上了日人的引誘，投降過去。十一月二日，退守預先覓定的馬赫坡岩窟，準備長期抵抗，於是戰事就漸漸變成了持久性。

這岩窟在馬赫坡溪的上游，是一個天然的險要地帶，洞口是馬赫坡谿谷斷崖，周圍盡是峭壁，形成屏障，而且草木蒼鬱，白天也看不見天日。日軍集中了大兵，用大砲猛烈射擊，可是山地人恃地利頑強抗戰，而且時常出擊，使日軍蒙受了很大的損害。但戰局於山地軍刻刻不利，這不利也不斷在釀成大大小小的悲劇。有一天，在一個樹木茂密的森林裡，有一兩百個潰退下來的山地婦女恐怕拖累戰鬥員，竟集體上吊殉難。

日軍看見日子拖長，山地人毫無屈服的樣子，便採用勸降方法，命令捉到的莫那魯道的女兒，攜酒食去勸她的父親兄弟投降；但他們不加理睬，嚴加拒絕。十六日，還派飛機在山地軍的陣地上空散下傳單，上面寫著：「快投降者不殺，欲投降者，放下槍枝，舉起兩手，前來馬赫坡社。」這時候，雖然有些意志薄弱的份子偷偷地去投降，但全軍的主力一點也沒有動

185

霧社街區平面圖

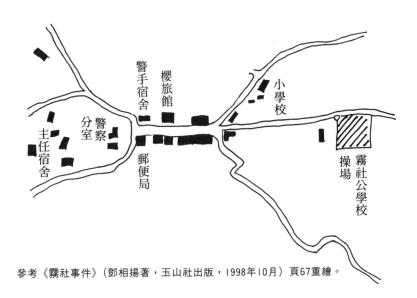

參考《霧社事件》（鄧相揚著，玉山社出版，1998年10月）頁67重繪。

搖。

日軍看勸降不成，攻取又無望，於是不顧人道，竟違反國際禁約，用飛機投擲毒瓦斯，日夜不斷轟炸砲擊。臺南的安達大隊還特別組成敢死隊，衝鋒進迫岩窟。

日軍幾日來的猛攻和慘無人道的毒瓦斯戰術，給山地軍致命的打擊。莫那魯道率領殘餘的部下和族人到達馬赫坡上游的河邊時，全體的人員只有四十餘人，個個困頓疲憊，有的坐在樹蔭下休息，有的蹲在溪邊喝水。

這個地方是一個前臨絕壁、後接森林的空地，巍峨的大山，急湍的溪流，峻削的峭岩，大自然的一切都是很崇嚴的。他托住槍，茫然瞻望周圍的景色，忽然臉上緊張起來，似乎有所決意，就命令部下拿出所有的酒食出來，才以沉重的口氣對大家說：

「我們打日本人，現在已經拼盡了力量了，我想被日本人捉去殺，不如自己來解決自己，好嗎？」

他說完就拿起酒瓶喝了一口。大家面面相覷，沉默了一會，忽然有一兩個答道：

「好！」

「那麼快食。」他邊說邊轉頭看看身邊的妻子薩瑪，就把她拉起來，指著河邊對她說：

「妳到那邊去，先一步去見見祖先……。」

她望望他，還在躊躇不前，他就輕輕一推，看她走了幾步，舉起槍向她背後射去。薩瑪撲地倒下。他又以堅決的口調對大家說：

「那麼都坐在河邊，我們一齊去轉生。」

大家都茫然自失，臉上沒有表情，拖著沉重的腳步，一步一步移到河邊。莫那魯道一看全部坐畢，很快地點一點人數，

莫那魯道畫像

一共四十三人。舉起右手一揮,大聲說:

「你們都看河流的水面,不准動。」

他於是連打四十三門,才淒愴地露著微笑,又裝上了子彈,將槍口貼住自己的咽喉,用腳指踩動扳機。

「轟!」

一聲響,子彈穿過他腦門,可是他卻歷久不倒。這時候一陣回音之後,又是恢復了沉寂。

事後,十一月十九日,日軍在馬赫坡第一岩窟附近發現縊死體十九具,二十日在第二岩窟附近的森林裡又發現婦女兒童的死屍一百四十具,其他自殺或戰死者有二百餘。最可恨的是

被誘騙投降，拘禁在霧社的二百餘名也被屠殺；而被俘分別拘禁在羅托夫社和蛇豹社的五百餘人，日人於次年四月廿五日，唆使大五達社，突加襲擊，屠殺二百一十人。

這一次參加起義的山胞共九社一三九九人中，戰死者五百餘人，投降者五七五人，失蹤一百餘人，死於毒瓦斯而日人僞報是自殺的四百餘人。霧社被殺日人一三四人，傷二一五人。臺人被殺的只有兩人，一是誤殺，一是平素行爲惡劣，可見他們的起義，恩怨分明。至於日軍警的戰死者，陸軍死二二人，傷二三人，警察死六人，傷三人，雇用番人死二二人，傷十九人。

二次大戰後，我政府曾費了很多的苦心，掘出當時被日人用鐵絲反貫的死難山胞骸骨五十餘具，合葬在昔日事件發難地點的霧社觀櫻台，並闢一千坪的土地，建立石碑，豎起石坊，來追念往事，安慰英靈。石坊上有陳誠先生所題的橫匾「碧血英風」及俞鴻鈞先生的對聯：

抗暴殲仇九百人壯烈捐生長埋碧血，
褒忠愍難億萬世英靈如在永勵黃魂。

他們抗日不屈的民族精神是永垂不朽的。

國家圖書館出版品預行編目資料

台灣歷史故事／王詩琅著；李欽賢圖. -- 第
一版. -- 臺北市：玉山社，1999 [民 88]
面；　公分. --（影像·臺灣；26）

ISBN　957-8246-05-6（平裝 ）

1.民間傳說 -　台灣

539.5232　　　　　　　　　　　88000835

影像·臺灣 26

台灣歷史故事

作　　　者／王詩琅
繪　　　圖／李欽賢
發 行 人／魏淑貞
出 版 者／玉山社出版事業股份有限公司
　　　　　　台北市忠孝東路一段 83 號 9 樓之 3
　　　　　　電話／ (02) 23951966　傳真／ (02) 23951955
　　　　　　電子郵件地址／tipi395@ms19.hinet.net
　　　　　　郵撥／ 18599799　玉山社出版事業股份有限公司
總 經 銷／吳氏圖書有限公司
　　　　　　台北縣中和市中正路 788-1 號 5 樓
　　　　　　電話／ (02) 32340036 (代表號)
主　　　編／王心瑩
編　　　輯／蔡蒸美·林含怡
文字校對／游紫玲
美術設計／洪雪娥
打　　　字／極翔企業有限公司
印　　　刷／中原造像股份有限公司
行銷業務／吳俊民
法律顧問／魏千峰律師

定價：新台幣 300 元
第一版一刷：1999 年 2 月